Gin

CHIARA VIOLA

IL NUOVO Oroscopo PERSONALE 2020

Impara a leggere il tuo cielo e scopri come sarà il nuovo anno

Rizzoli

Pubblicato per
Rizzoli
da Mondadori Libri S.p.A.

ISBN 978-88-17-14294-6

Prima edizione: settembre 2019

Progetto grafico di Davide Vincenti
Impaginazione: Corpo4 Team

A Irene..
la bella (come il
film) con tutte
punte & non
può che essere
così!
♡ Jenny

A Leone e Luce,
tutto il mio universo

Per scrivere questo libro ho avuto bisogno di:
- 107 tazze di caffè americano;
- 3 scatole formato famiglia di DayGum senza zucchero (penso meglio se mastico);
- dei bicchieri di vino non ho tenuto il conto, quindi evidentemente erano tanti;
- 4 scatole di pennarelli per sottolineare e pasticciare i libri. Nessuna matita, cancellare definitivamente per me non è mai un'opzione;
- 6 (dico sei) diversi blocchi tascabili per gli appunti, non perché abbia preso tanti appunti ma perché li dimenticavo quando cambiavo la borsa;
- oltre 22 libri di astrologia di grandi e meno grandi astrologi internazionali;
- 8 notti insonni. Solo 8, una novellina rispetto ai grandi scrittori, ma con la Luna in Toro sono una dormigliona;
- almeno 10 ore di telefonate con la mia migliore amica;
- piangere, ma solo due volte. Faccio finta di essere una dura. E comunque giuro che nessun orsacchiotto di peluche è stato maltrattato durante la stesura del libro;
- tutto il supporto di chi mi vuole bene.

Ho consultato e studiato oltre 230 temi natale e oroscopi di personaggi famosi.
Io, i fatti miei, proprio mai!

Ho scritto a:
- Milano (luoghi vari)
- Parigi
- Firenze
- Venezia
- Riccione
- nella mia amatissima Lunigiana, sensuale terra di burberi
- sul divano (non solo il mio)
- sotto le coperte (solo le mie)
- nel mio studio
- in metro, tram, auto e (quasi) ogni altro mezzo di locomozione. Compreso il motorino
- nella sala d'attesa del medico
- nel lettino di fianco a quello dei miei figli quando non volevano saperne di dormire
- al bar, ovviamente
- al parco, sdraiata sull'erba perché le panchine non mi piacciono tanto
- dal parrucchiere
- non fingo nemmeno di dire "in palestra" perché per fortuna ho smesso di iscrivermi

INTRODUZIONE

Ciao, io mi chiamo *Ginny* e faccio *l'astrologa*.

Se hai tra le mani questo libro probabilmente alla frase "faccio l'astrologa" non hai riso e non hai fatto le corna sotto al tavolo, per sicurezza. Bene, già mi piaci!

Dato che passeremo un bel po' di tempo insieme sarà bene conoscerci fin da subito senza tante storie, così se non ti piaccio fai sempre in tempo a riportare il libro non sgualcito e a fartelo cambiare con una bella raccolta di ricette, che serve sempre. Non vorrei fare come quelle tipe che all'inizio sembrano smart e poi al terzo appuntamento scopri che non mangiano nulla che proietti ombra, ascoltano solo musica di cantautori tibetani e la notte dormono su un materasso di ceci per stimolare la circolazione sanguigna.

Qui le cose sono semplici e chiare: io sono una scorpionaccia, al caso non ci credo e indago con sospetto, mi commuovo spesso e perdo il filo del discorso perché ho l'Ascendente Pesci, sono sensibile come Iris Apfel agli abbinamenti di colore e al senso estetico perché ho un sacco di pianeti nella settima casa, ma contemporaneamente navigo nei sensi di colpa, quindi se questo libro non ti piace i soldi te li rendo io. Infine ho la Venere in Vergine, quindi so bene che cosa significhi paranoia in amore e lotta all'ultimo WhatsApp non inviato, ma anche Marte in Sagittario e per questo quando voglio qualcosa alzo le chiappette e me lo vado a prendere. Spesso fallisco, ma questa è tutta un'altra storia.

Alla fine della prima parte di questo libro mi dirai chi sei tu, astrologicamente parlando, come ho fatto io. Sarò felice di ascoltarti.

Proviamo, con semplicità e chiarezza, a **capire come caspita si legge un tema natale e come si può azzardare una previsione con l'oroscopo.**

Te lo spiego per benino ma a modo mio, con esempi pop, risate, giochi, indovinelli, esercizi da fare e far fare, citazioni di personaggi famosi e tanto ma tanto gossip. Sia perché così è come mi esprimo per natura, sia perché con gli esempi divertenti le cose ti restano più in testa. Non ultimo, perché **il tema natale altro non è se non la mappa di ogni singola persona e l'oroscopo è semplicemente la vita vera, quella di tutti i giorni.**

Inutile quindi parlare dell'umano e del divino (lo lascio fare a chi lo fa meglio di me!): io ti parlo di come ama una persona che ha la Venere in Pesci e perché si sentirà sempre poco compresa da una Vergine, quali cose non aspettarti mai da un Toro e quali invece chiedere a una Bilancia.

Poi, nella seconda parte, vediamo perché quando Giove è opposto i soldi escono dalle tasche arzilli come le amiche il sabato sera oppure che cosa evitare di dire quando hai Marte sfavorevole.

PS: dato che io ho la Luna in Toro e sono pratica, senza che tu stia a sottolineare, ti metto già **in evidenza le parole chiave**. Così puoi anche leggere mentre sei sulla metropolitana, in piedi appesa al gancio, senza rischiare di finire in braccio alla signora cui hai gentilmente ceduto il posto.

Io penso che per dire cose intelligenti e profonde (ma non vorrei sopravvalutarmi, eh!) non serva essere pesanti e con quell'aria da chi sa già tutto come se avesse fatto lo stage di pace interiore dal Dalai Lama in persona.

Quindi io, che sono un groviglio di emozioni e sensi di colpa, l'astrologia te la racconto come piace a me, mostrando le debolezze come punti di partenza per meravigliose evoluzioni, le unicità come grandi poteri, i disequilibri come punti di forza. Alla fine (quasi) tutte le combinazioni astrologiche ti risulteranno fichissime... e se ognuno si rendesse conto di ciò, il mondo sarebbe un posto migliore, con meno paranoie e ben più brindisi con prosecco.

Se davvero dovessi riuscire a fare un briciolo di questa cosa (cioè di farti sembrare tutti un po' più fichi) mi riterrei soddisfatta e noi due saremmo amici per sempre.

Vorrei vederti ridere spesso leggendo questo libro, magari mandare un messaggino di scuse a qualcuno che non avevi compreso davvero a fondo e, perché no, persino fermarti a riguardare con occhi diversi qualche evento passato. Ma soprattutto spero che alla fine della lettura tu ti conosca un pochino di più... E se pensi a quanto costa uno psicologo, direi che se ci riesci mi devi almeno una birra!

Mi piacerebbe che, leggendo questo manuale, con una mano prenderai appunti e con l'altra mi scriverai su Instagram. Insomma, io ci sono, anche dopo che tu hai comperato il libro. E ti interrogo, se ti incontro per strada, sappilo!

LE RACCOMANDAZIONI DELLA VECCHIA (MA LO POSSO DIRE SOLO IO, EH!) ASTROLOGA

1. Non saltare i passaggi: ok, vuoi arrivare alla storia di Saturno contro, ma una cosa per volta. Se non conosci prima te stesso (studiando il tuo tema natale) non puoi capire cosa ti porteranno i transiti (non è una brutta parola, praticamente significa oroscopo).
2. Non giudicare i segni pensando ai tuoi ex fidanzati!
3. Citerò spesso altri astrologi. Se ci si vuole avvicinare

all'astrologia, per prima cosa bisogna leggere il pensiero di più astrologi possibili!

4. Leggi, rileggi, torna indietro, metti gli sticker sui punti importanti. Deve esserti tutto ben chiaro, così da usare questo libro per sempre, come fa un avvocato con il codice penale.
5. Io ci sto provando, ma racchiudere tutta l'astrologia in un manuale non è facile. Sentiti libero di approfondire alcuni argomenti.

Basta, credo di averti detto tutto. Adesso bando alle ciance e sali con me su questo treno regionale che fa tutte le fermate, ma alla fine ci porterà dove vogliamo andare.

CHE COS'È L'ASTROLOGIA (VIETATO SALTARE QUESTO PARAGRAFO E VIETATO DORMIRE)

L'astrologia è un linguaggio di simboli antichissimo che risale addirittura ai Babilonesi. Pensa te!

La teoria di base facile facile è: **noi siamo un microcosmo del macrocosmo**, ovvero il cielo attorno a noi è anche dentro di noi e il primo cielo che vediamo (cioè quello sopra la nostra testa nel momento in cui veniamo al mondo) ci disegna, ci imprime, ci rappresenta. Si chiama cielo natale. O carta astrale. O tema natale. O come vuoi, basta che questo sia il concetto.

I più grandi astronomi (astroNOMI) moderni sono stati anche astrologi. Nel senso: tutti hanno pensato che questo benedetto cielo avesse qualcosa a che fare con quello che abbiamo dentro noi. In qualche modo. Sì, Galileo e Keplero facevano gli oroscopi e pare pure che ci prendessero. Però, dato che erano tipi svegli, gli era ben chiaro che l'astrologia prima di tutto doveva servire come linguaggio per capirci e non tanto per fare previsioni. Perché che *astra inclinant, sed non necessitant* (i pianeti influenzano, ma non determinano) l'aveva capito già *Tommaso d'Aquino* nel 1200.

A me la cosa sembra chiara: noi tutti esseri umani terrestri siamo uguali fisicamente (più o meno). Abbiamo due braccia, due gambe, un naso. Ma ci sentiamo tutti diversi l'uno dall'altro. Capita anche a te? Penso di sì. È perché siamo diversi dentro. Non negli organi (questo è evidente), molto, molto più nel profondo. In qualcosa che non esiste come le ghiandole ma è così forte che rende evidente la nostra diversità. E quindi la nostra unicità.

Ecco, *il tema natale disegna ciascuno di noi come una combinazione unica e irripetibile* di caratteristiche e l'astrologia serve per capirle, tutte fino all'ultima, e prenderne consapevolezza per poterci orientare meglio nelle decisioni.

Dunque (QUI STAI ATTENTO!), per leggere *il cielo natale, ovvero la combinazione dei dieci pianeti per come cadono nei segni zodiacali e nelle case astrologiche* (normale se ora non è chiaro), dovrai raccogliere tutte le informazioni che ti spiego per bene nelle prossime pagine per cercare di disegnare il carattere di una persona.

Poi, per fortuna, esiste *il libero arbitrio*. Cioè esiste la vita là fuori che porta esperienze diverse, esisti tu che lavori per guardare il tuo io in profondità, conoscerti ed evolverti, esiste la comprensione di sé e quello che fai.

Io oramai ho l'occhio dell'astrologa e capisco al volo chi ha fatto un bel lavoro su di sé e chi non ha alcuna intenzione di farlo. Ecco, chi lo fa va sempre molto lontano e a un certo punto diventa "impermeabile" ai transiti nel senso che guardarsi dentro non è mai così sconvolgente.

Cito *Jung*, che mi piace tanto: «La tua visione diventa chiara solo quando guardi dentro il tuo cuore. Chi guarda fuori, sogna. Chi guarda dentro, si sveglia».

A noi astrologi *Jung* piace per due motivi:

1. pur essendo uno psichiatra, che quindi segue le persone in un percorso terapeutico, ha riconosciuto la validità della lettura astrologica;
2. ci ha dato (a noi astrologi) gli strumenti per contestualizzare meglio il simbolo e comprendere davvero il suo significato nella descrizione dell'uomo. Per questo lo studiamo così tanto. Jung, forse anche per far dispetto a Freud, è stato amico di Barbault, il più importante astrologo contemporaneo. Correvano i primi decenni del 1900. Erano d'accordo: *l'uomo, cioè tu, resta in ogni caso al centro di tutto.*

Ma torniamo a bomba: cosa cavolo è 'sto tema natale? (È importantissimo, se non lo capisci, rileggilo. Se poi hai ancora dei dubbi, chiamami.)

Il tema natale è la mappa, la fotografia del cielo astrologico sopra la tua testa nell'esatto momento (e luogo, ovvio) in cui sei nato. Non ne esistono quasi due uguali.

Tu ne sei il centro e anche il Sole gira lungo il cerchio dello Zodiaco (lo sai che hanno scoperto che sta fermo, vero?!). Quindi in questa mappa ruotano: Sole (l'unico pianeta che gira sempre alla stessa velocità, per cui so che se sei nato il 5 gennaio il tuo Sole è nel segno del Capricorno), Luna, Mercurio, Venere, Marte, Giove, Saturno, Urano, Nettuno e Plutone. Questi pianeti girano lungo una ruota di 360 gradi (ma va?) divisa in dodici spicchi uguali, i dodici segni zodiacali, e dodici spazi disuguali, le dodici case astrologiche.

Poi bisogna considerare l'Ascendente e il Medio Cielo, che non sono pianeti ma due posizioni.

Per capirci: *quando diciamo che siamo del segno del Leone significa che nel nostro tema natale il Sole sta nel segno zodiacale del Leone.* Ma anche tutti gli altri pianeti stanno in un segno, così come l'Ascendente e il Medio Cielo. E questo segno non è mica sempre il Leone, anzi!

Quindi: *ogni pianeta sta in un segno e in una casa.* Dato che noi sappiamo (saprai, dopo aver studiato questo libro) che cosa simboleggia un pianeta e quali sono le caratteristiche di ciascun segno zodiacale, capirai come la persona che stai "leggendo" vive ogni aspetto della vita.

Facile, no? No.

Comunque, se sei curioso di vedere subito il tuo tema natale lo puoi fare semplicemente on line gratis su tanti siti. Questo è il link al mio https://www.unaparolabuona-pertutti.it/calcola-tema-natale/. Stampalo e tienilo sempre con te mentre leggi il libro.

Questo è il mio tema natale, con tutti i simboli che imparerai a conoscere:

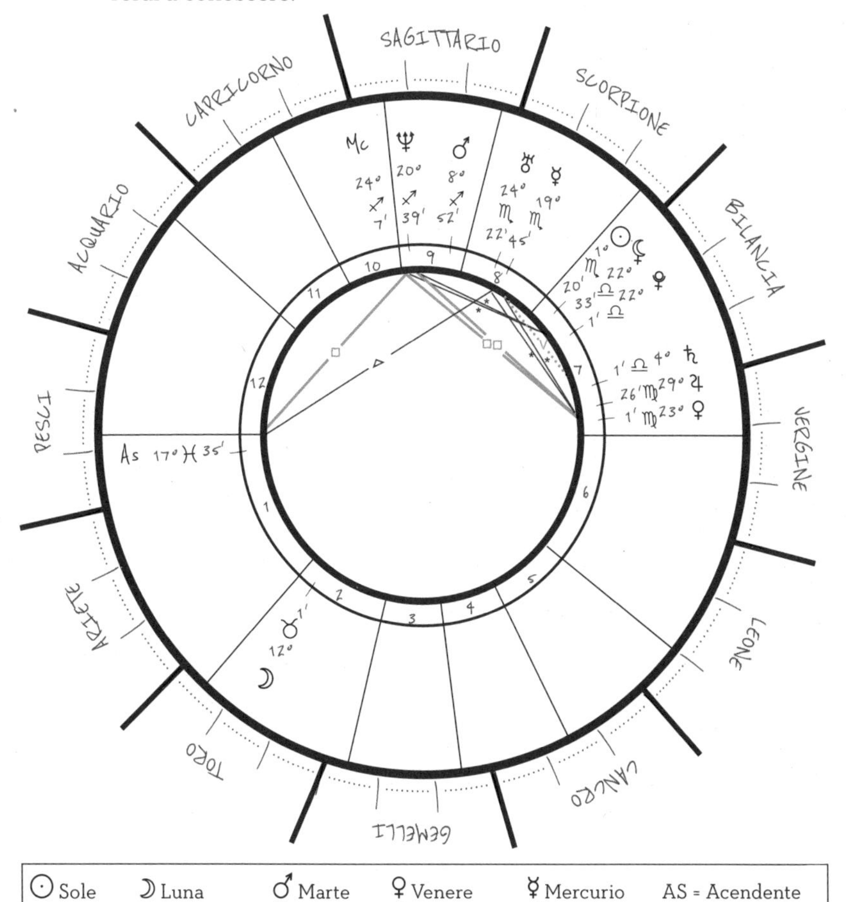

L'importante, bada bene, è **non sottovalutare nessuna delle parti di un tema natale**, anche se fosse una voce sola e fuori dal coro.

Cioè: per chi ha tutti i pianeti in segni di terra (concretezza e risultati), avere la Luna in un segno d'acqua (emozioni profonde) potrebbe essere una scocciatura. Se però finge di non sentirla e la imbavaglia nello sgabuzzino delle scope o la blocca come l'ex su WhatsApp, questa Luna prima o poi torna a farsi sentire, selvaggia e anche un po' incazzata.

Samantha Cristoforetti è del Toro, segno legatissimo al suo territorio, ma fa l'astronauta.

Se hai comprato questo libro, non vuoi semplicemente scoprire quello che ti riserva il nuovo anno. Lo scopo di me che scrivo e di te che leggi è che tu ti trasformi un po' alla volta un piccolo astrologo, e perché questo accada bisogna procedere per gradi e rispettare tutti i passaggi.

1. Prima di tutto studiamo i simboli astrologici, cioè tutte le idee che al volo ti devono venire in mente pensando a uno dei dodici segni zodiacali o a uno dei dieci pianeti che consideriamo. Facciamo come quando ci apprestiamo a montare la libreria dell'Ikea, che mettiamo per terra tutti i pezzi e le viti. Insomma, il mio scopo di aspirante coach di astrologia è che tu arrivi a snocciolare le caratteristiche di un segno zodiacale con la stessa sicura immediatezza che usi quando passi in rassegna i migliori baci della tua vita.
2. Poi, quando hai chiari tutti gli elementi, puoi iniziare piano piano a metterli insieme. Pezzo per pezzo, senza fretta.
3. Quando ogni pezzo è al suo posto, cerchi di guardare quello che ne è venuto fuori, il risultato finale, per avere una visione d'insieme e capire quali caratteristiche prevalgono nella persona che stai leggendo.

4. Da ultimo, se proprio vuoi esagerare, gli fai anche l'oroscopo, ovvero: tabella della posizione attuale dei pianeti alla mano, guardi quali influenze vanno a sollecitare quale parte del tema natale. Lo so, adesso sembra difficilissimo, ma se mi segui per benino e fai tutti i compiti alla fine sarà un gioco da ragazzi (o quasi)!

Sei pronto? Stai tranquillo, io sono sempre con te. Questo viaggio lo facciamo insieme.

La tua astrologa

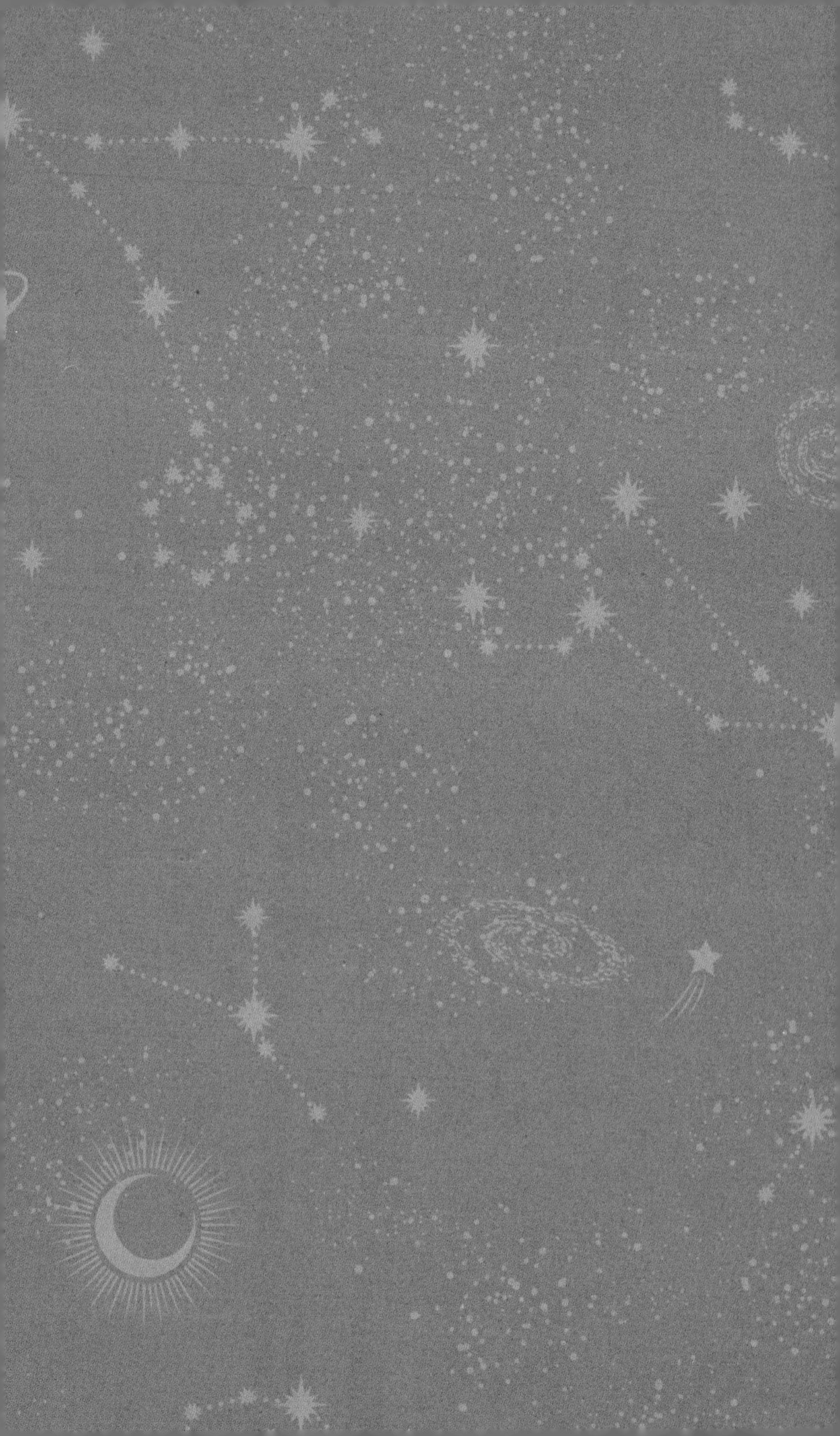

Prima parte

IL TEMA NATALE

CAPITOLO 1

I DODICI SEGNI ZODIACALI

Eccoci qui a parlare dei dodici segni. Partiamo dalle basi, insomma, che non sono da dare per scontate.

Da adesso e per un bel po' di pagine ti sviscero in lungo e in largo tutti e dodici i segni zodiacali e tu alla fine, per ciascun segno, dovresti avere come Pico della Mirandola (o Pico de Paperis, va bene lo stesso!) una nuvola (il cloud) di simboli a esso legati. Per imparare tante cose si fa così, lo affermano gli antichi saggi della Vergine, mica io.

Ma adesso ti dico una cosa che ti sciocchera: dire «Io sono del segno dello Scorpione» è sbagliato.

Ma dai???? Lo dico da una vita. E sbagli, da una vita.

Nel senso che, segui i passaggi:

1. ognuno di noi è rappresentato astrologicamente da un tema natale, una combinazione unica, praticamente la fotografia del cielo astrologico sopra la nostra testa quando siamo nati;

2. nel tema natale ci stanno ben dieci pianeti + l'Ascendente (vedi oltre adesso non fare il puntiglioso);

3. tra questi dieci pianeti il più importante (ma anche qui avrei da dire la mia) è il Sole, l'unico che si muove sempre alla stessa velocità, ma solo perché lo Zodiaco è stato costruito sul suo movimento, non per meriti particolari;

4. indi è vero che conoscendo il giorno di nascita sappiamo a memoria dove sta il Sole, mentre per sapere dove stavano tutti gli altri pianeti tocca consultare le effemeridi o scaricare una comoda app gratuita (non preoccuparti, anche questo te lo spiego per bene dopo);
5. tuttavia, è bene ricordare che ciascuno dei dieci pianeti del tema natale cade in un segno zodiacale. Quindi sarebbe corretto dire: «Il mio Sole cade nel segno dello Scorpione, ma la mia Luna cade nel segno del Toro, la Venere in Vergine, l'Ascendente in Pesci...» e così via fino a che l'interlocutore non si addormenta.

Chiaro? Bene. Lo sapevo che sei un tipo sveglio.

In pratica, ciascuno dei dieci pianeti rappresenta una qualità (per esempio Venere l'amore) e in base al segno zodiacale nel quale cade la Venere nel tuo tema natale vivrai l'amore in un modo anziché in un altro.

Per questo è bene imparare prima tutti i simboli, le qualità legate a ciascuno dei dodici segni, poi le caratteristiche dei dieci pianeti e alla fine metterli insieme, farli combaciare come le due fette di pan carrè del tramezzino.

Bene, adesso prendi un bel respiro e partiamo.

Ti dico una cosa che ti sciocchera:
dire «Io sono del segno dello Scorpione»
è sbagliato.

DUE INFO TECNICHE MA PROPRIO DUE

L'Ariete è il primo dei dodici segni zodiacali, quello da cui tutto ha inizio, soprattutto se intendiamo il cerchio dello Zodiaco come il percorso dell'uomo. Ecco, l'Ariete è l'uomo che viene alla luce e prende posizione nel mondo. Non per altro, l'inizio dell'Ariete coincide con quello della primavera, stagione che vede le giornate allungarsi e aumentano le ore di sole. L'Ariete è dominato da Marte, pianeta delle aperture, degli squarci, delle lotte e delle energie primitive, è un pianeta fallico e passionale. Il suo elemento distintivo è infatti il fuoco.

PER CAPIRE UN ARIETE PENSA A...

Lady Gaga. E chi se no? Lady Gaga ha sia Venere sia il Sole nel segno dell'Ariete, quindi diciamo che lo rappresenta per benino. *Mascolina* ma *sexy*, non ha la femminilità dolce di molte delle sue colleghe e penso di averla vista ridere davvero pochissime volte. Anzi, prima della recente, presunta e a quanto pare già finita love story con Bradley Cooper (forse solo una trovata pubblicitaria per l'uscita del film, questo non lo so, ma so delle foto che ritraggono Germanotta china a baciare un uomo che Bradley non è), è stato più facile vederla buttarsi dall'alto delle impalcature del Super Bowl o sfilare ricoperta di carne piuttosto che sbattere gli occhioni come Minnie.

Indipendente e *aggressiva*, audacissima e *provocante*, qui Marte è davvero forte: Lady Gaga si veste con abiti che sembrano le armature di Robocop e incede su tacchi così alti da far sfregare le mani all'ortopedico... lei le ballerine non le mette nemmeno per passare l'aspirapolvere!

Lady Gaga non sorride ma ti *mozzica*, non parla ma *urla* con sguardo imperioso e minaccioso. Il suo discorso, tutte le volte che riceve un premio di qualsiasi genere, si può parafrasare a grandi linee così: «Ho lavorato a lungo, per tanto tempo, e non si tratta di vincere, ma si tratta di non arrendersi»... Come dire che lei, Ariete vera, si fa il mazzo e non sta certo a sognare di fare i discorsi per gli Oscar in pigiama sul divano, lei l'Oscar se l'è conquistato a testate proprio come **conquista** tutto ciò che desidera.

Perché alla nostra Ariete si può dire tutto, ma non che cincischi. Lei **alza il sedere** ancor prima di aver capito bene dove andare: si è già vestita e ha sgommato con la macchina nel box anche se non sa di preciso come si muoverà... ma **testardaggine** va a braccetto con **impeto, passione, prontezza di spirito e d'azione**. Nonostante le stramberie di vestiti e accessori, Lady Germanotta non perde occasione per ribadire che lei è se stessa: e in effetti il naso non se l'è mai rifatto.

Ecco, l'Ariete è proprio così: essendo il primo segno dello Zodiaco non ha ancora avuto il tempo di fare retropensiero o strategie di comunicazione o marketing di se stesso, ma è **chiaro, limpido, coraggioso e diretto**. Quindi te lo becchi così e, a parer suo, non puoi che amarlo schiettamente e senza starci a pensare troppo.

Tutta questa storia della testardaggine muscolosa e impetuosa forse non aiuta quando si ha bisogno di una spalla su cui piangere, ma di certo è **sexissima**, più che sexissima, praticamente **irresistibile**. Se un Ariete ti vuole, ti viene a prendere dove sei e ti limona come se fossi la statuetta degli Oscar, per restare in tema. E tu muto.

«Voglio solo essere me stessa, amata per ciò che sono.»
Lady Gaga

ALTRI ARIETE SPARSI

Per tornare al discorso dell'Ariete che preferisce la mascolinità alla dolcezza femminile, ti citerei **Victoria Beckham**, colei che ha brevettato un metodo comodissimo e infallibile per non avere le rughe: **non sorridere mai**. Ora, non prendermi con rigidità, non è che tutti gli Ariete non sorridano mai... ma diciamo che la tendenza è più quella di porsi al mondo con uno sguardo di sfida piuttosto che con un dolce sorrisino malinconico e femminile.

Poi, non dimentichiamo che una delle primissime caratteristiche degli Ariete è la **competitività**, e se ci pensi un sacco di atleti e sportivi sono di questo

AMA: LA DETERMINAZIONE, IL ROSSO, LE ARMI MEGLIO SE AFFILATE, LA BATTERIA, LE BATTAGLIE FISICHE PIÙ CHE QUELLE IDEOLOGICHE, LE COSE DI METALLO, IL FUOCO, LE MONOPOSTO, LO SPORT, LA CACCIA (IN AMORE), LE PERSONE CHE GLI TENGONO TESTA, LE GARE (MA SOLO SE ARRIVA PRIMO).

ODIA: L'INDECISIONE, LA PIGRIZIA, LO YOGA, IL SILENZIO, IL TUTÙ, LE PANTOFOLE, LE TABELLE E GLI SCHEMI, LE CONSEGUENZE LOGICHE, LA LENTEZZA, LE LACRIME, I PENSIERI TROPPO PROFONDI, METTERSI IN DISCUSSIONE.

segno (oppure hanno una prima casa importante, ma questo lo vediamo più avanti): una su tutte, la tennista supersexy *Marija Sharapova*, probabilmente una delle sportive più competitive di sempre. Nientepopodimenoche!

COSA È BENE NON ASPETTARSI DA UN ARIETE

Che pensi per due: qui l'io è troppo importante e fa già fatica a stare nei suoi confini, figuriamoci a condividerli! Anzi, se a qualcuno avanza qualche centimetro libero, l'Ariete è pronto a fargli compagnia pur di potersi allargare un po' con il suo ego.

Anche con *l'autocritica* non siamo proprio da guinness dei primati... Insomma, non si può avere tutto: l'Ariete è già un super sexy macho, non possiamo pretendere che abbia anche il tempo di *mettersi in discussione, ascoltare i consigli, valutare razionalmente le possibili conseguenze delle sue azioni*. L'hai voluto sexy e impetuoso? Ecco, è così. Ma anche un po' testardo.

Infine, se si potesse evitare tutta quella manfrina sull'*introspezione emotiva, l'empatia, l'accortezza sensibile verso le emozioni altrui* sarebbe decisamente un gran favore da fare all'Ariete, perché anche qui sarebbe da rimandare a settembre.

"Nella testa di un Ariete"

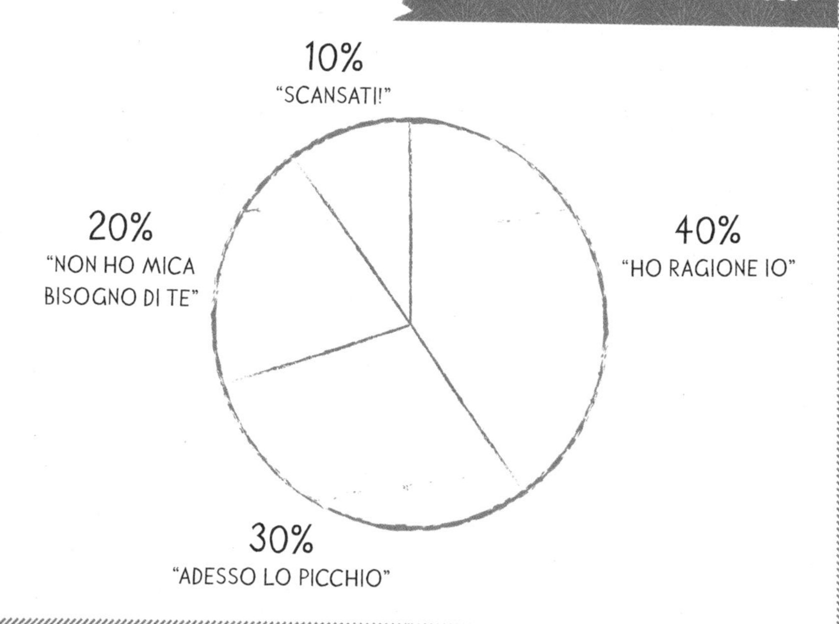

GIOCO:

Al pub, lancia una sfida all'ultimo boccale di birra. Chi la accetta è sicuramente dell'Ariete!

ESERCIZIO PER GLI ARIETI:

Conta fino a centodieci e torna indietro prima di rispondere al cazziatone via mail del capo.

TORO

DUE INFO TECNICHE MA PROPRIO DUE

Metti insieme le caratteristiche di Venere e di Giove e avrai il Toro. *Bellezza* e *piacere*. Nulla di più.

PER CAPIRE UN TORO PENSA A...

Laura Pausini, la Laurona nazionale. In eterna lotta con la *bilancia* (quella che ti pesa, non quella nata a ottobre), dopo la gravidanza, quando ha potuto ingrassare senza che nessuno le rompesse le scatole, si è presa tutto il suo tempo per tornare come era, senza fretta.

Da brava Toro, la fretta non fa proprio parte del suo dizionario.

È sempre sorridente, non nasconde l'accento di casa e anzi ne va fiera, perché per il Toro la famiglia è un clan e lui ne è di solito uno dei pilastri principali. Il primo a pensare al menu di Natale già ai primi di settembre, a rispettare rigorosamente ogni tradizione, dalla messa di mezzanotte alla tombolata, e a non lamentarsi mai del numero eccessivo di portate a tavola. Se qualcuno dei familiari manca, lui ci rimane male e potrebbe anche legarsela al dito.

Ci racconta (anzi ci canta) che Marco se ne è andato e non ritorna più, ma poi si stappa un rosso e passa la tristezza, perché è bello parlare d'amore, ma senza farla troppo lunga. Insomma, se hai bisogno di conforto per il tuo cuore infranto, meglio non andare da un Toro che al massimo, se proprio ritiene che la situazione sia drastica, può fare a metà con te della sua merenda.

È il segno del godimento morbido, quindi ogni cosa disturbi questo status è da evitare: dalle paranoie ai pensieri troppo complessi, dai progetti a lunghissimo termine ai momenti di ristrettezza.

In compenso il Toro griglia, innaffia e si dà da fare col bricolage. Sul lavoro non si lamenta, ma (a meno che non ci sia un Saturno potente nel tema natale) alle diciotto-e-trentuno cade la penna.

Accumula e *colleziona*, meglio se cose belle o costose. Avendo tanta *pazienza*, un buon gusto (Venere) e la voglia di *possedere* fisicamente molto prima che intellettualmente, non si stanca mai di mettere via cose che, un giorno, possono sempre tornare utili.

ALTRI TORO SPARSI

Chiara Ferragni, e quando affermo che *il Toro ama collezionare cose belle* ho proprio in mente la cabina armadio che si vede nelle sue stories di Instagram. Lei è Toro Ascendente Capricorno (ed è grazie a lui se muove il sederino per ottenere i risultati cui ambisce). Abbiamo parlato di famiglia? Leoncino è il vero royal baby e lei la *mamma affettuosa* anche quando le sbava sulla borsa di Hermès. E nonostante pesi trenta chili bagnata ci tiene a far vedere che la *pizza* la mangia, eccome.

Michele Mainardi, con cui collaboro a Radio Deejay. Lo conoscevo da meno di tre minuti e mi ha detto: «Sai, il mio più grande piacere è *fare sesso mentre mangio una piatto di tortellini*». Io, che ho una Venere in Vergine un po' bacchettona, a queste affermazioni mi imbarazzo, ma ho mantenuto una certa professionalità e ho risposto: «Sarai mica del Toro?». E lui: «Cavolo, hai indovinato», anche se non credo che si sia soffermato più di tanto a pensare a quanto ci becchi l'astrologia, perché era già concentrato sulla brioche da ordinare per colazione.

COSA È BENE NON ASPETTARTI DA UN TORO

Profondità. Un Toro cercherà sempre di risolvere i suoi e anche i tuoi problemi con un bicchiere di vino e un panino con la mortadella. Non aspettarti quindi che sappia comprendere davvero un problema emotivo, una crisi sentimentale, un dilemma sensibile... né che diventi vegano. Al Toro non piace perdere troppo tempo scavando nel suo io, figuriamoci nell'io di qualcun altro! Questo è il segno di chi ama stare bene e vivere bene, quindi quando ha mangiato, bevuto, dormito e fatto del sesso soddisfacente non ha davvero di che lamentarsi.

AMA: CHIACCHIERARE, IL CIBO, IL SESSO, IL GODIMENTO DI OGNI GENERE, RIDERE, CINCISCHIARE, IL RELAX, LA PENNICHELLA, CANTARE NON SOLO SOTTO LA DOCCIA, AVERE IL FRIGO PIENO E LA TAVOLA APPARECCHIATA, I PROFUMI, I REGGISENI IMBOTTITI, LE PIANTE DI TUTTE LE SPECIE, I GIOIELLI DI FAMIGLIA, I GIARDINI, LA SUA CASA BEN ARREDATA E STRAPIENA DI COSE, GLI UOMINI BENESTANTI, I VOCALI DI WHATSAPP LUNGHISSIMI, I ROMANZI ROSA.

ODIA: LA FRETTA, LE PARANOIE, LE POESIE CHE NON CAPISCE, I SENSI DI COLPA (CHE ATTECCHISCONO DAVVERO POCO), CONDIVIDERE COSE SUE, GLI SPAZI COMUNI, LE MANIERE TROPPO RAFFINATE, I COLPI DI SCENA.

Ah, e non aspettarti nemmeno che un Toro abbia *fretta*. Ha un'andatura morbida e piacevole e difficilmente aumenta il passo, a meno che il treno non stia proprio per partire... e in quel caso potrebbe anche valutare l'idea di farsi un aperitivo e un pisolino e prendere il prossimo.

"Nella testa di un Toro"

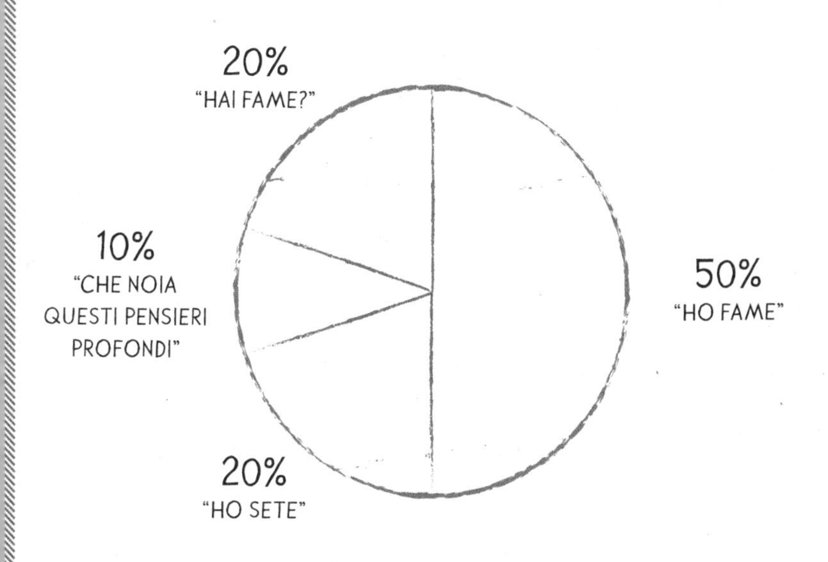

GIOCO:

Fai un elenco di cinque persone che conosci che amano cucinare e/o sono delle buonissime forchette. Poi chiedi loro segno, Luna e Ascendente. Vediamo quale percentuale di toraggine hai accumulato.

ESERCIZIO PER I TORO:

Guarda una maratona di MasterChef sgranocchiando gallette di riso. Senza Nutella.

DUE INFO TECNICHE MA PROPRIO DUE

I Gemelli hanno un pianeta dominante, Mercurio, che ha un sacco di significati. Tra i più importanti il pensiero, i fratelli e l'adolescenza. Anche se, ricordati, il pensiero di Mercurio è un concetto che lega Gemelli, Vergine e Scorpione ma con modalità differenti. Nei Gemelli il pensiero è curiosità creativa, nella Vergine è metodo razionale e nello Scorpione è comprensione profonda del non detto.

PER CAPIRE UN GEMELLI PENSA A...

Raffaella Carrà, la prima e inarrivabile showgirl della televisione italiana (e sappi che la televisione e tutti i media sono da ricondurre al segno dei Gemelli). Proprio lei, che a settantaquattro anni suonati ha annunciato che a breve tornerà in tv. Mentre le sue amiche al massimo vanno in gita a Praga in corriera, lei continua a indossare giacche di paillettes che fanno invidia a Paris Hilton (Acquario). Ecco, la Carrà è un concentrato di gemellitudine: non invecchia mai (i Gemelli sono gli adolescenti dello Zodiaco), ha energie da vendere, tenerla ferma è impossibile, ogni confine le sta stretto (infatti si è costruita una carriera quasi parallela in Spagna), dice la sua senza peli sulla lingua, è vivace, curiosa e autoironica.

E la sua risata? Io me la metterei anche come suoneria del cellulare!

E poi, lei che stava in prima serata più del direttore del TG ed era amata dagli italiani come la perpetua del curato, ha sempre toccato temi scottantissimi (è comunque un Ascendente Scorpione, ma per capire lo Scorpione devi andare a pagina 64 e per sapere cosa fa l'Ascendente a pagina 182) con irriverenza, davvero adolescenziale, apertissima nel pensiero e controcorrente. Dall'essere gay (cinquant'anni fa, mica adesso) all'adozione di figli da parte di genitori single, lei non ha mai smesso di dichiararsi molto più che favorevole. E non dimenticare che con l'ombelico di fuori cantava *Tuca Tuca* e *Com'è bello far l'amore da Trieste in giù*, non proprio lagne sentimental-sdolcinate.

La Carrà nella vita ha fatto millecento cose e la prima volta che ha cavalcato la scena aveva nove anni, con la stessa grinta e gli stessi sogni di adesso che ne ha più di settanta: **un Gemelli non invecchia mai!**

E anche se per la sua energia dirompente viene ritenuta un'ochetta superficiale, sotto a quel caschetto biondo **non smette di farsi domande**. Ecco, un Gemelli è in eterna lotta per far passare questo concetto: gli strass e la matematica possono andare a braccetto! Anche se, bisogna dirlo, le domande dei Gemelli sono dettate da una **grandissima curiosità** che però dura al massimo quindici giorni. L'approfondimento lo lascia a Vergine e Scorpione (vedi pagine 50 e 64).

Gossipparo quindi, sempre a caccia di notizie da sfoggiare e che diventano vecchie in un attimo: è il segno perfetto per Twitter.

«Sono contenta di non essermi montata la testa, ho molta autoironia.» *Raffaella Carrà*

ALTRI GEMELLI SPARSI

Andiamo un po' all'estero: il corrispettivo della Carrà in gemellitudine è **Kylie Minogue. Pop e dance.** Ben oltre i

cinquanta, come i serpenti ha cambiato pelle un sacco di volte e nella sua canzone *I Should Be So Lucky* canta il vero pensiero dei Gemelli: «Nella mia immaginazione / non c'è nessuna complicazione». Perché le **regole** sono da sempre un problema dei Gemelli, e infatti sono noti i problemi della cantante con i rigidi dettami delle case di produzione. Comunque, Kylie **non si annoia mai** perché, oltre a cantare e fare un sacco di cose sia social sia sociali, ha anche una linea di profumi, una di lingerie e una di biancheria per la casa. Altro???

Per ricordarti che quello dei Gemelli è un segno legato al concetto dei **fratelli** (ma te lo spiego meglio dopo, quando parliamo della terza casa a pagina 210) ti basta pensare che sono di questo segno le **sorelle Olsen**, che hanno fatto della loro gemellitudine (nel senso di essere nate lo stesso giorno!) una fonte di grande chiacchiera, ma anche **Angelina Jolie**, che ha dato scandalo per aver baciato l'adorato fratello sulle labbra dopo aver vinto l'Oscar.

AMA: BALLARE, CANTARE, RIDERE, CHIACCHIERARE, DIRE LA SUA, L'ARIA APERTA, I PIANI B, LO SPORT E IL MOVIMENTO IN GENERE, LA BICICLETTA, IL CAFFÈ CON LE AMICHE, COMPERARE MA ANCHE VENDERE, I FUMETTI, IL POP, IL COLORE FLUO.

ODIA: ASCOLTARE I CONSIGLI E SOPRATTUTTO RISPETTARE LE REGOLE E LE RACCOMANDAZIONI, IL DIVANO, LE COSE COMPLICATE, I PENSIERI PARANOICI, PASSARE INOSSERVATO, NON ESSERE ASCOLTATO.

Avrai oramai capito che ai Gemelli non si può (e non si deve) dare un'età: quanti anni ha *La Pina* di Radio Deejay??? Per me sempre al massimo trenta!

COSA È BENE NON ASPETTARTI DA UN GEMELLI

che si fermi, con la testa o con le gambette. Un Gemelli che si ferma o sta prendendo fiato o sta pianificando la fuga.

che ubbidisca alle regole, anche a quelle della raccolta differenziata. Non ce la fa proprio e sarà più

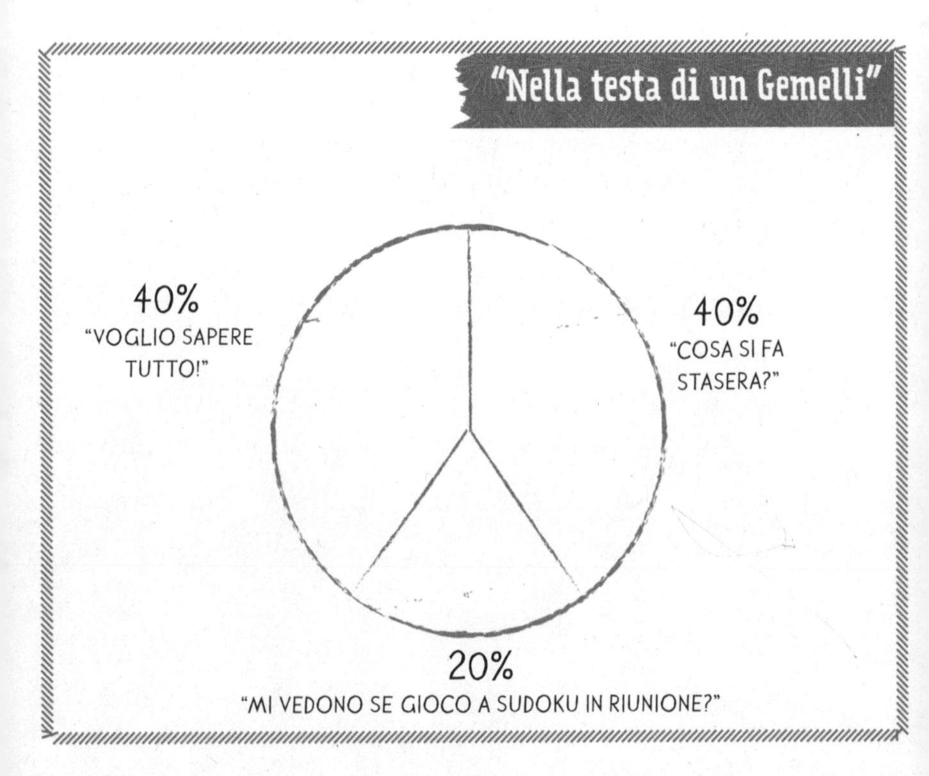

forte di lui buttare almeno la carta delle caramelle nel bidone del vetro. Quindi, se devi chiedere a un Gemelli di qualsiasi età di fare qualcosa non usare mai le parole "devi" o "bisogna" perché immediatamente partirà un software installato solo nella loro testa che troverà una scusa, un'alternativa, un'altra persona più adatta per portare a termine la missione. Oppure inizierà a fare *polemica*, ma stai sicuro che quella cosa di certo non la farà.

Che si concentri per molto tempo su un'unica strada: un Gemelli quando sente alla televisione che una persona si allena nello stesso sport o strumento ogni giorno per dieci ore si sente male per lui e vorrebbe offrirsi volontario per suggerirgli delle alternative. In compenso il Gemelli *sa un po' di tutto* e in qualsiasi ambiente tirerà fuori una chicca che vi chiederete da dove cavolo sbuchi!

Che non vi dica nemmeno una bugia: mica cose grosse, per carità, ma le bugie sono il pepe della vita.

GIOCO:

In spiaggia cerca volontari per il torneo di ruba bandiera e tirerai su uno squadrone di Gemelli competitivi!

ESERCIZIO PER I GEMELLI:

Non spoilerare il finale di stagione della serie tv più seguita. Nemmeno sotto tortura.

DUE INFO TECNICHE MA PROPRIO DUE

Il Cancro è dominato dal pianeta Luna, e la Luna è il pianeta femminile per eccellenza. Quindi, il Cancro è il segno più femminile di tutti. Ed è proprio così. Ma non dimenticare che la femminilità lunare ha moltissime facce. Leggi sotto, va'!

PER CAPIRE UN CANCRO PENSA A...

Con le dovute accortezze, a Frida Kahlo. Sì, lei che è diventata un'icona pop, simbolo della rivoluzione femminile, di chi sembrava aver perso tutto, ma non ha mai smesso di lottare. Procediamo, però, con ordine (io ho l'Ascendente Pesci, tendo a divagare e a inseguire i pensieri come la Vispa Teresa con le farfalle): Frida Kahlo è il *dolore* fatto donna, la *sensibilità* più profonda, la *ricerca dell'amore*, la *forza di rialzarsi* e *lottare*. Ecco, tutto questo è il segno del Cancro. Mamma mia, basta parlare di Cancro e già divento poetica.

Parlavamo della Luna: la Luna è *profondità interiore*, quindi il Cancro resta turbato dalla concretezza della vita là fuori perché concentrato ad ascoltare e sentire quell'eco infinito e introvabile nelle sue profondità. Nessuno sa ascoltare davvero le emozioni più sensibili come le persone di questo segno. Il bello è che spesso, proprio perché si ascoltano così tanto e si conoscono così bene, passano dal sembrare gattini spauriti sotto la pioggia allo sfoderare una forza che voi umani nemmeno potete immaginare. Frida ha detto: «Dipingo autoritratti perché sono spesso sola, sono la persona che conosco meglio». Aveva voluto uno specchio sul soffitto del letto a baldacchino nel quale era costretta, ma in quello specchio non vedeva solamente la sua immagine riflessa bensì tutto quel suo mondo interiore che ha poi ritratto.

Dunque, quando un Cancro ti dice che ha una sensazione *"a pelle"*, credigli senza fare troppe domande. Sa quello che dice.

La Luna è anche *capriccio*, *dolcezza*, *emotività micio-*

na. E amore: perché Frida lo amava quel birichino di Diego Rivera. E quando lui l'ha tradita (male, con la sorella) mamma mia che sofferenza infinita. Ma, di nuovo, che meravigliose opere d'arte! In una donna, Cancro significa amore tradizionale e fedele (in un uomo, invece, può essere un amore così spasmodico da fargli perdere il concetto di monogamia).

Te le ricordi le scimmiette di Frida? Quelle che lei curava come figlie mentre era costretta a letto praticamente tutto il giorno? Ecco, un altro concetto che devi ricordarti: la mamma. La mamma per un Cancro è un'idea che non si può nemmeno tentare di rimuovere. Il Cancro ha bisogno di proteggere e ricevere protezione. Proprio come dicevano Lilo e Stitch: «Ohana significa famiglia e famiglia vuol dire che nessuno viene abbandonato o dimenticato». Il Cancro ama tutto quello che sa di famiglia, dal divano al Natale, dalla casa di vacanza dei nonni al profumo di torta appena sfornata. Il Cancro e la maternità sono una cosa sola e questo vale soprattutto quando in un tema natale Luna, Venere o Mercurio capitano in questo segno.

Ma torniamo per un attimo a Frida, che è stata anche una fortissima voce dell'attivismo politico messicano (che poi, sai quanti politici sono del segno del Cancro? Angela Merkel, Bush padre, Grillo). Perché se il Cancro è mamma e casa, il senso allargato di casa è *patria* (senso civico, patriottismo, interesse nella cosa pubblica, appunto).

ALTRI CANCRO SPARSI

Oriana Fallaci: che non ti venga in mente di pensare al Cancro come a un segno debole!

Sabrina Ferilli e *Lady Diana*, e una cosa bella delle donne Cancro è che spesso hanno una femminilità morbida e accogliente che fa venire voglia di *abbracciarle*.

Su *Lady Diana* si apre anche il capitolo della *malinconia*. Ah sì, qui la malinconia dilaga in tutte le sue forme, dal piacere di stare al telefono ore a *consolare le amiche depresse* alla voglia di *gelato al cioccolato*, *divano* e *film romantico* anche quando si è nel pieno della gioia, fino al piacere immenso di far scendere una *lacrima* almeno due volte al giorno, lontano dai pasti come i fermenti lattici.

AMA: LA MAMMA (LA NONNA E TUTTA LA GENEALOGIA FEMMINILE), I DOLCI, LE POESIE, LE COCCOLE, I PELUCHE, LE COPERTINE DA DIVANO ANCHE D'ESTATE, LE LACRIME (TUTTE: DI GIOIA, DI TRISTEZZA, DA COCCODRILLO), IL SILENZIO, LA CASA.

ODIA: I VIAGGI LONTANO, LE NOVITÀ, GLI INIZI, I RUMORI TROPPO FORTI, LE OCCASIONI IN CUI SIA NECESSARIO MOSTRARE EUFORIA, USCIRE DALLE COPERTE, L'AMORE NON CONVENZIONALE, IL GHIACCIO.

Poi Giorgio Armani, che è un super Cancro (sia il Sole sia la Luna) e infatti il suo capo iconico è la giacca. Destrutturata, elegante, chiusa come una corazza (soprattutto per l'Ascendente Cancro, vedi a pagina 174), perfetta sia per gli uomini sia per le donne, abbraccia il corpo invece di ingigantirlo. Perché questo segno ha bisogno di proteggere la propria emotività, anche fisicamente.

E adesso concedimi un momento-revival: se sei della mia generazione (classe 1980 o giù di lì) e pensi alla tua infanzia cosa ti viene in mente? A me le merende sul divano guardando i cartoni animati in quell'unica ora su quell'unico canale in cui veniva-

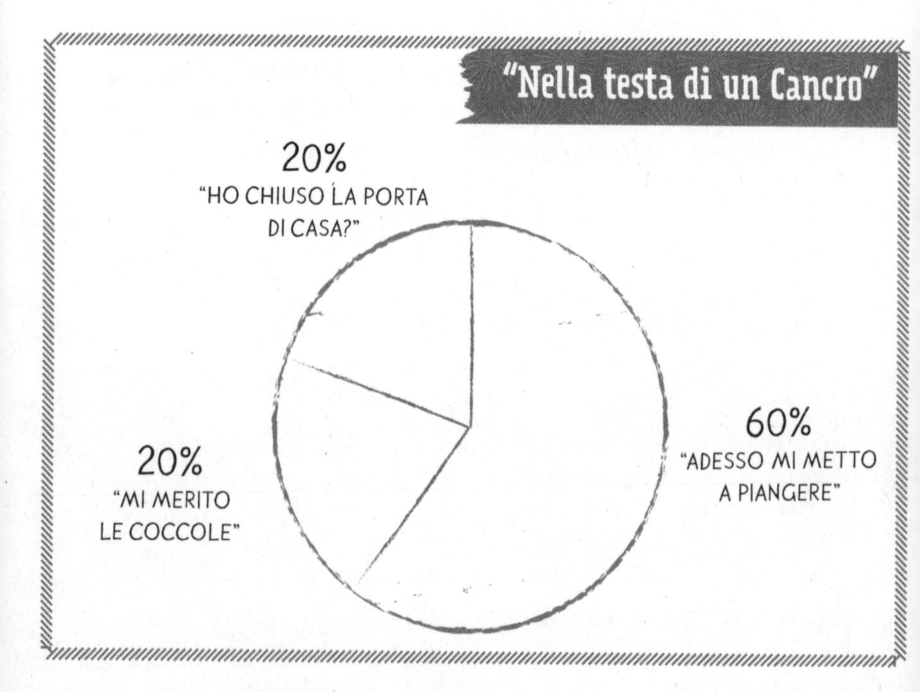

no trasmessi. Ed è subito *Cristina D'Avena*, che ancora adesso si veste da fata turchina ma spopola ai concerti che nemmeno Ligabue a San Siro. Cristina D'Avena è l'infanzia, e *l'infanzia* (ma anche *il ricordo commosso dell'infanzia*) è proprio legata al segno del Cancro.

COSA È BENE NON ASPETTARTI DA UN CANCRO

Che prenda l'iniziativa. Preferisce essere corteggiato, convinto, coccolato. Poi, quando ha deciso, non lo ferma più nessuno.

Che si faccia sentire con urla e pugni. No, qui Marte proprio viene messo alla porta insieme agli ombrelli bagnati e alle scarpe puzzolenti. La voce grossa la si lascia a qualcun altro, e quando la situazione si fa dura, il Cancro sfodera la lacrima atomica, quella che piega silenziosamente anche Hannibal Lecter!

Che preferisca una festa a una serata a due in casa: cenetta e divano. Però i piatti li lava lui!

Che non abbia paura quando prende l'aereo. Ne è terrorizzata anche Meryl Streep.

GIOCO:	ESERCIZIO PER I CANCRO:
Fingi di tenere in ostaggio un orsacchiotto di peluche. Chi pagherà il riscatto è di sicuro un Cancro!	Guardare tutti "I bellissimi" di Rete 4 senza versare nemmeno una lacrimuccia!

DUE INFO TECNICHE MA PROPRIO DUE

Il Leone è il segno dominato dal **Sole**, quindi via libera a tutte le simbologie che l'astrologia (ma basta anche solo un po' di intuito) affibbia a questo pianeta: dal calore alla sensualità, dall'energia alla vitalità, dal coraggio all'egocentrismo. È tutto alla luce del Sole, appunto!

PER CAPIRE UN LEONE PENSA A...

J.LO. Che quando arriva scuotendo la chioma, con le curve fasciate strette strette in un abito da sirena

glitterata, ti aspetti che ruggisca come il leone della Metro Glodwyn Mayer. J Lo, che a ogni cerimonia (di consegna) dei Grammy torna a casa col muletto pieno di premi e a cui basta fare una compilation di starnuti e sbadigli per restare settimane nella classifica top 5 USA.

Procediamo con ordine: J LO è energia allo stato puro non solo sul palcoscenico ma anche nella vita di tutti i giorni. Proprio nel momento in cui Forbes l'ha messa al primo posto tra le celeb più potenti, lei ha tenuto a precisare che la sua fama se l'è conquistata da sola perché lei è Jenny from the Block, cioè è partita dal Bronx fino a diventare la regina indiscussa della musica latina. Non ti nego che nei miei migliori momenti di autostima (pochi, colpa della Venere in Vergine) canticchio – sottovoce – *Ginny from the Block*, dato che anche io vengo da Settimo Milanese, periferia di Milano. Vabbe', fai come se non avessi detto nulla.

Quindi insomma nessuno può mettere Jenny in un angolo, tanto meno un Leone: il Sole illumina, scalda e attrae. E infatti è impossibile vedere un Leone in giro in tuta, senza nemmeno una paillette, un glitter, una collanona d'oro, una montatura luccicante degli occhiali da sole; il Leone adora farsi notare in qualsiasi momento, anche mentre è in attesa di fare gli esami del sangue... ama tutti gli accessori che attirano l'attenzione (e non c'è neanche bisogno di dire che sul palcoscenico si sente assolutamente a suo agio). Non puoi non ricordarti del vestito verde di Versace che J LO ha indossato ai Grammy Award del 2000: praticamente un pareo senza il costume sotto, non esattamente quello che ci si mette per passare inosservati!

E l'anello di fidanzamento che J Lo ha ricevuto da Ben Affleck? Il Leone adora gli abiti costosi (è capace di "dimenticarsi" il cartellino attaccato, per essere sicuro che tutti vedano il marchio) e i gioielli da millemila carati... Non solo ama indossarli, ma ci tiene che tutti se ne accorgano e si mostrino ammirati e anche un po' invidiosi. Si chiama status e il Leone lo persegue come l'attestato di laurea.

Amore: J Lo è stata fidanzata una vita con il suo manager e poi anche con il suo migliore amico. Il Leone è il segno del cuore: sia in senso cardiologico sia in senso affettivo. Se è vero che il Leone comanda e non ama certo essere contraddetto, allora è anche vero che se ti trovi sotto la sua ala e acconsenti ad adorarlo per te ci saranno tutti gli onori possibili e verrai difeso anche se dovessi commettere qualche casino. Tirando le somme: dai sempre ragione al Leone, riempilo di complimenti e se possibile anche di regali e lui sarà tuo per sempre. E ricorda: mai, mai e poi mai fare un commento negativo sui suoi capelli. Stiamo parlando di una vera e propria criniera e, tan-

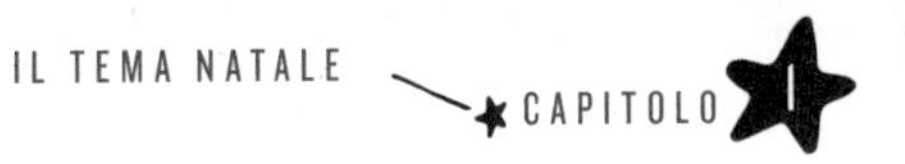

to per essere chiari, più di un parrucchiere si è beccato una denuncia da J Lo per non essersene preso cura nel modo giusto. Su certe cose non si scherza.

Ah, e non ti sfugga che per mantenersi agli studi quando era una ragazzina poco più che maggiorenne lavorava nei night club di Manhattan... e la *notte* è la parte più divertente per un Leone!

ALTRI LEONE SPARSI

Va bene che ho promesso alla mia editor di essere originale, ma non è che posso parlare del Leone senza citare lei, la Leonessa per eccellenza: *Madonna*. Non credo che serva raccontarvela, ti basti sapere che ha davvero pronunciato queste frasi: «La mia aspirazione? Diventare più famosa di Dio». E: «È più importante apparire che essere».

Altri esempi di *personaggi particolarmente carisma-*

AMA: L'ORO, LE LUCI, IL PALCOSCENICO, LA FAMA E LA GLORIA IN OGNI SITUAZIONE, COMANDARE, AVERE RAGIONE, ESSERE SEXY, SENTENZIARE, DORMIRE DI GIORNO (COME LE VERE ROCKSTAR), LE COSE CHE DANNO ADRENALINA.

ODIA: LE CIABATTE E LE CIAPETTE PER I CAPELLI, LE PERSONE CHE PARLANO SOTTOVOCE, LE STRATEGIE E I PIANI, LE CANTINE, LE BALLERINE, DORMIRE DI NOTTE, ESSERE COLTO DI SORPRESA IN DISORDINE, LA LENTEZZA.

tici? Restando nel mondo dello spettacolo, da **Skin** degli Skunk Anansie a **Mick Jagger** (che anche nei testi ha fatto ben capire che comandava lui) fino alla nostra **Lorella (Cuccarini)**, la più amata dagli italiani (cosa che la fa gongolare parecchio). Se poi ci spostiamo in politica, eccoci subito ad altissimi livelli: **Obama, Clinton, Napoleone!** Il Leone è sì un imperatore, ma anche un **comandante**, un coraggioso e orgoglioso leader delle truppe.

Infine, se uniamo tutti i concetti visti finora **(status, regalità e visibilità)** abbiamo una schiera di principesse e first lady da scintille: **Beatrice Borromeo, Charlotte Casiraghi, Meghan Markle e Jackie Kennedy Onassis**. Qui sì che serve l'inchino!

COSA È BENE NON ASPETTARTI DA UN LEONE

Che accetti volontariamente di passare inosservato. Quella storia della bellezza acqua e sapone e della donna che arrossisce distogliendo lo sguardo proprio non gli si addice.

Che ammetta di avere torto, praticamente impossibile, anche davanti a una prova evidente.

Che si faccia intiepidire, rallentare, distogliere da qualcosa che vuole fare grazie a una matura e razionale considerazione delle possibili conseguenze. Qui siamo nell'impero dell'istinto passionale ed eroico.

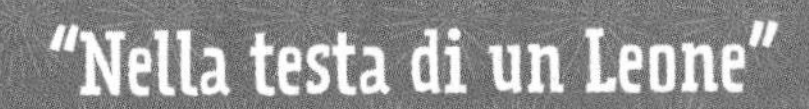

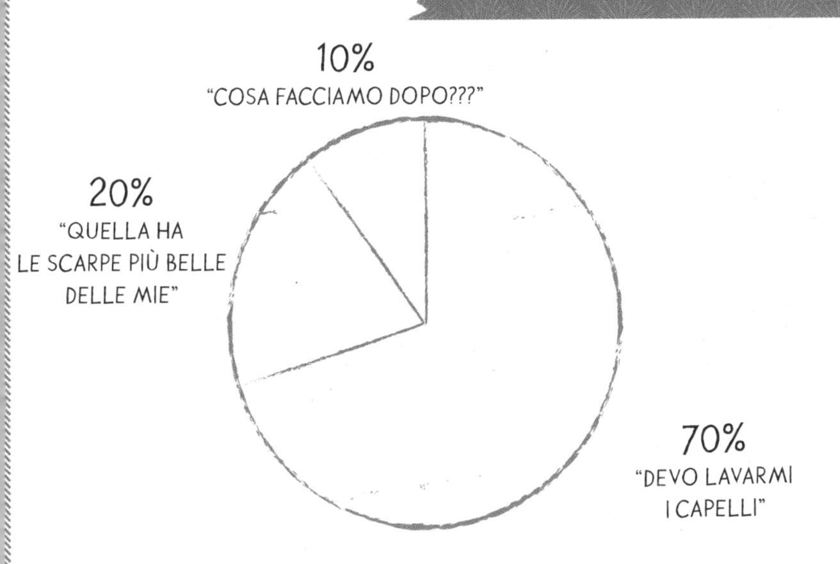

GIOCO:

Fingi di organizzare un casting per scegliere la protagonista di un musical hollywoodiano: i Leoni saranno in prima fila!

ESERCIZIO PER I LEONI:

Fai il giro dell'isolato a testa alta in tuta, ciabatte da spiaggia e mollettone per i capelli (quello con la margherita di plastica applicata, mi raccomando).

DUE INFO TECNICHE MA PROPRIO DUE

La Vergine è il sesto dei segni dello Zodiaco e ne conclude quindi la prima metà (l'astrologia potrebbe anche essere un'opinione, ma la matematica no!). Se consideriamo il ciclo dello Zodiaco come un percorso di crescita e consapevolezza del singolo uomo, allora con la Vergine chiudiamo la parte in cui l'uomo si confronta con se stesso e dalla Bilancia parte il confronto con il mondo fuori. La Vergine, dominata da Mercurio (il **pensiero**) e Urano (la **praticità** pronta e tagliente), prende consapevolezza del fatto che l'uomo è un essere finito e fallibile e, siccome la cosa non le piace proprio per niente, farà di tutto per evitare questa sorte.

PER CAPIRE UNA VERGINE PENSA A...

Blake Lively. No, smettila, cara lettrice, non ho detto: pensa a quel fico del marito perfetto di Blake Lively, ma proprio a lei che sembra uscita da un film della Disney, che non sbaglia un outfit, che incede sicura sui red carpet come io neanche nel parcheggio del supermercato, che sorride sempre e che pare sia anche un'ottima cuoca. Un difetto ce l'avrà di sicuro ma, da buona Vergine, non si vede.

Partiamo dall'inizio: la Vergine è perfetta, composta, accorta, sorride quanto basta, ci tiene alla sua privacy. La Vergine fa anche le cose per benino, perché l'onestà (che arriva fino al senso civico di un innaffiatore volontario di aiuole pubbliche) è uno dei suoi punti di forza. Certo, poi c'è quel problema che è elastica come un panettone di cemento, quindi ogni tanto l'onestà diventa rigidità bacchettona...

Comunque, sta di fatto che Blake e Ryan si sono conosciuti sul set di *Lanterna verde*, ma entrambi erano fidanzati e non hanno fatto cose inopportune ma, con calma (la calma piace alla Vergine, che ha bisogno di programmare le cose per bene e soprattutto per tempo), hanno lasciato i rispettivi. Con buone maniere da inviti scritti dell'Ottocento si sono rivisti e, finalmente, fidanzati. E vissero felici e contenti. Probabile, dato che la Vergine è **tra le donne più tradizionali, ma anche geishe,** che ci siano. E come ha fatto Blake a fare breccia nel cuore di Ryan? Non con quel fisico mozzafiato e nemmeno con il sorriso da sole della California, ma cucinando ottimi dolci, come Nonna Papera. Tutto questo per dire che la Vergine è **legata alle tradizioni** e **dedita a rendersi utile,** cosa nella quale trova una soddisfazione quasi da orgasmo. Però non vale approfittarsene, adesso che lo sai!

E qui veniamo a un altro punto cruciale dell'essere Vergine: il **lavoro**. Cioè la Vergine deve fare bene, anzi ineccepibilmente, perfettamente. Altra via non c'è. Ed è disposta a sopportare qualsiasi fatica, a rivedere il suo lavoro, qualunque esso sia, centinaia di volte, a inimicarsi tutti i collaboratori... Il bello è che la Vergine non è mica un Capricorno (ma va? Leggi pagina 76) e non è mossa da ambizione sfrenata e desiderio di conquista del mondo: lei vuole **lo stipendio fisso** e la scrivania (come Checco Zalone) e non ci pensa nemmeno di mettersi in proprio o assumere ruoli di grande visibilità. Il suo goal è **rendersi indispensabile**... così potrà **controllarvi** molto meglio di quanto non crediate. Subdola!

Per fare questo mette in atto due comportamenti spasmodici e maniacali: il primo è sapere, sapere più possibile, farti credere che sa molto più di quanto non sappia in realtà. Ritiene il **sapere** un'arma di controllo di massa ed è una missione, imprescindibile, che inizia con la prima parola e finisce con gli ammonimenti da indice che oscilla.

L'altro comportamento è **trattenere ogni emozione naturale**, che può essere pericolosissima. Voi umani non potete certo capire che pericoli correte nell'abbandonarvi all'amore, alle follie, alle debolezze. La Vergine invece lo sa e rifugge ogni tipo di scioglimento: prima di esprimere un qualsiasi genere di sentimento ha fatto un file excel nella testa con pro e contro, indagini di mercato, case history precedenti e percentuali di rischio. Alla fine di solito si tiene tutto per sé e all'esterno lascia al massimo scappare un sorrisino di **educazione**... perché naturalezza no, ma educazione dieci e lode.

Ma veniamo a cose molto più fiche: la Vergine ama le **scarpe**. Tutte le donne amano le scarpe, pen-

AMA: I MANUALI DI ISTRUZIONI (COME QUESTO), LE SCARPE, TUTTI GLI OGGETTI DI MISURAZIONE DAL TERMOMETRO AL CRONOMETRO, GLI OROLOGI (LA SVIZZERA È DELLA VERGINE) LA CASSETTA DELLE MEDICINE, LE DIETE, LA PALESTRA, LE ROUTINE DI OGNI GENERE, IL FRIGORIFERO, I ROBOT E GLI ELETTRODOMESTICI IN GENERALE (PER IL BIMBY POI, SBIELLA!), LA PULIZIA, LE MANI, GLI UFFICI STATALI, LE CODE AGLI SPORTELLI, I MODULI DA COMPILARE.

ODIA: LE FESTE CON TANTO CASINO, IL DISORDINE E LE PERSONE CHE LE FANNO NOTARE CHE ODIA IL DISORDINE, LE SORPRESE, I COLPI DI TESTA, LE OCCASIONI IN CUI È NECESSARIO ABBRACCIARSI, LE CRITICHE, L'EGOCENTRISMO (QUELLO DÀ FASTIDIO UN PO' A TUTTI, MA A LEI DI PIÙ).

serai tu. Sì, ma la Vergine di più. Pare che Blake, per tornare a bomba, abbia una collezione di almeno trecento Louboutin. Nientepopodimenoché. La Vergine, nel suo amore per tutto ciò che sia *rassicurante*, col cavolo che rincorre la libertà a piedi nudi nel prato (chissà che cosa c'è nel prato, poi), lei preferisce le scarpe, le ciabatte, qualsiasi cosa ripari quell'unico inevitabile punto di contatto con la madre terra. (I piedi nudi nel prato o nella sabbia invece sono una caratteristica dei Pesci, che sono appunto il segno opposto alla Vergine. Ma questa è tutta un'altra storia.)

ALTRE VERGINE SPARSE

Asia Argento, Amy Winehouse e Michael Jackson sono accomunati da un'*immagine dannata, eternamente malinconica* e da una malinconia chiusa e privata, inconsolabile. Ecco, la Vergine è spesso proprio così. Nasce già con l'amara consapevolezza da adolescente dark che tutto debba finire, che la renderà cinica e spesso triste. Ma essendo una che non molla, farà di tutto per contrastare il corso naturale degli eventi. Non a caso la *ricerca scientifica e medica* cadono sotto questo segno (sì, anche perché è *ipocondriaca*!). La *consapevolezza intelligente e lucida della fine* (fine della vita, fine degli amori, fine della felicità) porta una

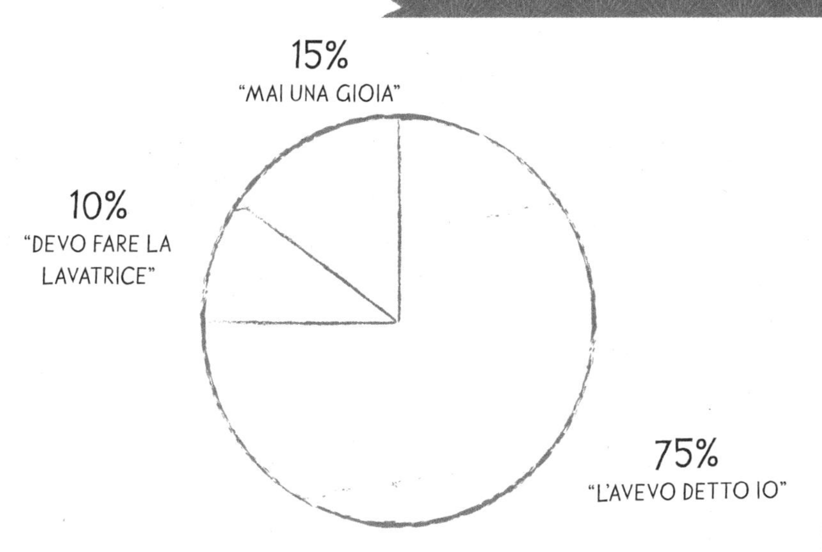

GIOCO:

Vai in ufficio vestito con colori spaiati, in ritardo e picchiettando l'indice sul bancone della reception. Se la segretaria è della Vergine, non potrà non insultarti!

ESERCIZIO PER LE VERGINI:

Rimani fermo per almeno sette minuti a fissare una parete con quadri storti senza sistemarli.

tristezza che spesso sfocia in **cinismo**, un'arma per difendersi dal male della vita. Sto esagerando? Ecco, adesso hai capito perché la Vergine è l'amica peggiore con la quale andarti a confidare se quello che stai cercando è conforto!

«Se vieni al mondo sapendo di essere amato e lo lasci sapendo la stessa cosa, allora tutto ciò che nel frattempo è accaduto sarà valso la pena.» *Michael Jackson*

COSA È BENE NON ASPETTARTI DA UNA VERGINE

Che esprima le sue emozioni: ti dovrai conquistare ogni dichiarazione dimostrando di meritarti la sua fiducia, che viene centellinata. E se per caso venisse tradita, provocherebbe una ferita e una catena infinita di "lo sapevo io!" che potrebbe riversare pessimismo e fastidio su tutti gli amici e anche i parenti di primo e secondo grado.

Che prenda bene i cambi di programma: anche se si tratta di poca cosa è bene sempre avvertire prima e scusarsi inchinandosi, meglio se con certificazioni di scuse a vostro favore (certificati medici, foto di figli malati, screenshot di chat di una certa urgenza).

Con la Vergine chiudiamo
la parte in cui l'uomo si confronta
con se stesso e dalla Bilancia parte
il confronto con il mondo fuori.

DUE INFO TECNICHE MA PROPRIO DUE

Per creare una Bilancia bisogna mettere in egual misura Saturno e Venere, che sono due pianeti diversissimi. Per questo la Bilancia è in eterna lotta per riportare equilibrio tra queste due tendenze. Il dovere e il piacere, la determinazione e la dolcezza, il rigore e l'arte. Tutto quello che sta a metà tra questi due pianeti è la Bilancia.

Ma c'è un altro concetto che ti devi tatuare nella tua testolina: è il tu, che qui ha più valore dell'io. La Bilancia è il settimo dei segni dello Zodiaco, quindi si oppone all'Ariete e inizia la seconda parte del cerchio,

ovvero quella in cui ci si raffronta al mondo. È il primo segno a conoscere il tu e ne rimane folgorata. Per questo spesso perde l'io e ascolta il tu, cadendo così nel dubbio ma anche nella bontà e nell'altruismo più forti.

PER CAPIRE UNA BILANCIA PENSA A...

Gwyneth Paltrow. È la dolcissima ragazza acqua e sapone della porta accanto, quella che ti chiedi se si sia mai arrabbiata, o almeno un po' innervosita. Bella, perfetta: bionda quanto basta, sempre sorridente, atletica ma non muscolosa, piace agli uomini e non dà fastidio alle donne. Equilibrio, insomma!

Gwyneth Paltrow mette magnificamente insieme Saturno e Venere per creare la Bilancia perfetta: dolce e di buone maniere (Venere), ma seria nelle relazioni e determinata imprenditrice (Saturno). Goop.com, il suo magazine nato da una sola newsletter, ha ormai raggiunto un grande successo (ambizione, Saturno) e parla di tutto ciò che fa bene, dal macrobiotico alle *body vibes* da riequilibrare per essere felici (Venere). È alla ricerca costante della bellezza (Venere), ma con metodi naturali e sani (Saturno, pianeta anche legato alla salute e all'attenzione a essa).

Il dubbio, l'oscillare tra il piacere e il dovere, tra la naturalezza e la perfezione, tra la semplicità e l'apparenza è da sempre il dilemma di una Bilancia.

Una cosa importantissima da ricordare: se Venere è bellezza (non solo della persona ma anche dell'arte), Saturno è il rigore e la linearità. Quindi qui tutto quello che è arte è invaso dall'ansia della perfezione, del controllo, della armonia e della simmetria. Non è estro folle ma equilibrio e controllo (Saturno) di tutto ciò che è bello (dalla moda, all'arte, dall'arredamento all'immagine personale). **Classe** quindi è la parola d'ordine per una Bilancia.

ALTRE BILANCIA SPARSE

Ho parlato di classe: e infatti sono Bilancia **Catherine Deneuve** e **Monica Bellucci**. E quando lo stilista **Ralph Lauren** ha dovuto decidere come chiamare il suo brand ha optato per Polo Ralph Lauren, perché il polo gli ricorda «un mondo di eleganza discreta e stile classico». A modo suo, anche Kim Kardashian ha espresso bene questo concetto: «Forse portare un trucco sbagliato è proprio la cosa peggiore sul pianeta».

Hai notato che tra le persone della Bilancia ci sono alcune **metà** di coppie storiche, cioè quelle coppie che quando scoppiano (se scoppiano!) ci rimani male come se succedesse alla tua più cara amica?

Pensa a **Kim Kardashian** che sta con Kanye da una vita, ma anche a **Romina Power**...

La stessa **Gwyneth** è stata sposata con quel figone di Chris Martin dei Coldplay per quindici anni... che a Los Angeles valgono come se fossero moltiplicati per sette, come gli anni dei gatti!

Catherine Zeta-Jones con Michael Douglas si è sposata due volte, nel 2000 e nel 2014 (e senza mai separarsi nel mezzo... Mica Liz Taylor e il suo problema con un sacco di pianeti in Pesci che hanno portato mariti come l'alta marea conchiglie sulla spiaggia).

Ah, e non dimentichiamoci di Fedez, che con la Ferragni ha fatto il botto e fa il *first man* agli Oscar!

E siccome Venere è sì il bello ma anche il buono... non c'è davvero segno più buono, altruista e giusto della Bilancia. Ricordati di Francesco Totti, "er pupone", che durante una trasmissione di raccolta fondi per un ospedale ha detto che quella macchina incredibilmente importante e costosa per fare gli esami ai bambini l'avrebbe comperata lui. Tutta lui. Applausi scroscianti.

AMA: LA BELLEZZA E LA BONTÀ, L'ETICHETTA, LE BUONE MANIERE, ESSERE FIDANZATA, CUCINARE PER CHI AMA, SORRIDERE, AIUTARE LE PERSONE E MAGARI FARSI ANCHE FOTOGRAFARE MENTRE LO FA, AVERE SEMPRE L'ABITO GIUSTO NELL'ARMADIO, FARE SHOPPING, GLI ORECCHINI DI PERLE, AVERE TEMPO PER PENSARE, STUDIARE, UBBIDIRE.

ODIA: ARRABBIARSI, DOVER PRENDERE DECISIONI, USCIRE SENZA ESSERSI PREPARATA PER BENE, MACCHIARSI LA MAGLIETTA, GLI ABBINAMENTI SBAGLIATI, IL DISORDINE, IL CATTIVO GUSTO, LA VOCE TROPPO ALTA, GLI SPORT ESTREMI.

E per finire un gossip. Non rivelerò la mia fonte, sono uno Scorpione e so bene come mantenere un segreto. Jovanotti (altra Bilancia che ci parla dell'amore per Francesca da vent'anni e sembrano fidanzati da venti giorni) ha costretto tutta una troupe in viaggio verso un concerto a tornare indietro perché si era dimenticato a casa la schiscetta macrobiotica preparata con le verdurine cresciute nel suo orto al suono della sua chitarra. Ovviamente la storia è romanzata e non ne ho alcuna prova certa ma, curiosando il suo tema natale tra Bilancia (un sacco di Bilancia!) e Vergine, direi che è assolutamente possibile.

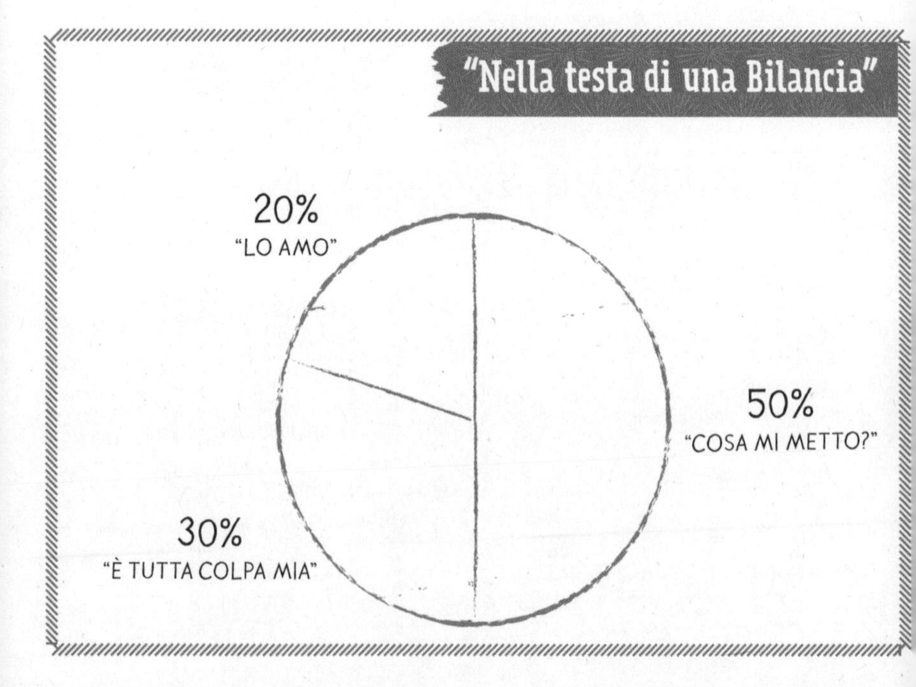

COSA È BENE NON ASPETTARTI DA UNA BILANCIA

Che prenda un'iniziativa che prevede nello stesso momento follia, decisione e scombinamento delle regole. Ecco, no, tutto questo insieme per una Bilancia è davvero troppo, abbi pazienza! Che poi, se fossi tu a proporre a una Bilancia qualcosa di strano potrebbe, con calma e razionalità, poterla anche prendere in considerazione. Ma forse!

Che si scomponga. Ma nonostante le buone maniere, alle quali tiene tanto, non pensare ti risparmierà almeno una smorfia, una faccia, una battutina acida, se ti vede con un *abbinamento davvero improbabile*, anche fosse tra le calze e la T-shirt. Non ce la fa, è più forte di lei, stare zitta sarà davvero una fatica che metterà a dura prova tutto il suo rigidissimo Saturno, ma alla fine uscirà, come la lacrima di quando mangi la zuppa super piccante che ti ha cucinato il fidanzato fingendo di apprezzarla tantissimo.

GIOCO:

Presentati in ufficio con l'ultimissimo modello di borsa di Hermès. Le donne Bilancia ti guarderanno con invidia!

ESERCIZIO PER LE BILANCIA:

Resisti dal lanciare occhiatacce di disappunto a chi fa rumore tirando su il brodino dal cucchiaio!

SCORPIONE

DUE INFO TECNICHE MA PROPRIO DUE

Parlare dello Scorpione è molto difficile, perché è molto difficile di suo e la cosa gli piace parecchio, quindi non farà mai davvero niente di niente per facilitarci il compito. Fai così: ricordati che lo Scorpione è **Plutone** e tutto diventa più facile. Plutone è *l'oscuro, la passione, il motore pulsante di ogni desiderio*.

PER CAPIRE UNO SCORPIONE PENSA A...

Katy Perry (Sole congiunto a Plutone in Scorpione, ma anche Ascendente, Luna, Saturno e Mercurio tutti nello stesso segno. Più Scorpione di così, solo Lucifero!). È nata in una famiglia di predicatori californiani, ma è diventata famosa per una canzone che si chiama *I Kissed a Girl* che ha fatto infuriare tutta la comunità puritana. Gli **scandali** nella sua vita non mancano, le **provocazioni** sono all'ordine di Instagram e l'amore per i cattivi ragazzi è una costante. Adesso pare che con questa storia del matrimonio entro l'anno con Orlando Bloom si faccia sul serio, ma io non sono convinta...

Lo Scorpione ha costantemente bisogno di ringalluzzire il suo desiderio e la sua passione. Per questo, essendo anche un grande **estimatore del sesso** nella sua parte più fisica e viscerale, non disdegna amanti, amici particolari ma anche situazioni inusuali di amore a tre, quattro... Tutto quello che avviene di **notte**, in **segreto** e se possibile anche **sotto falso nome**, lo fa impazzire e poi diventa soggetto di **sogni erotici** utili per addormentarsi col sorriso per tutto il mese seguente. È sempre la storia di Plutone.

Poi, non so se sai quante volte Katy è stata licenziata dalle case discografiche e abbia dovuto ricominciare. Te lo dico io: tante. Ecco, questa è una caratteristica da vero Scorpione: se Plutone lavora continuamente nelle viscere e nella psiche dello Scorpione, allora questo sarà sempre **capace di rialzarsi**. Nessuna ferita esterna potrà davvero distruggerlo, lui che sotto la pelle ha un mondo di cunicoli fatti di **passioni** ed **energie**. Mi spiego per bene: Plutone crea una **consapevolezza interiore** fortissima, che qualche volta porta al disinteresse freddo verso quello che gli succede intorno. Per questo motivo gli Scorpionacci appaiono spesso **st****i, con il pelo sullo stomaco, pronti a tutto**: è solo che loro sono forti di una verità che non ha grande bisogno di essere espressa al di fuori, la conoscono e la dominano. Di contro, nulla di quello che accade all'esterno li può davvero sconvolgere e sono **pronti a rinascere** più forti di prima, come i capelli tagliati con la Luna nuova.

ALTRI SCORPIONE SPARSI

Luciana Littizzetto, Monica Vitti, Anna Marchesini, Rino Gaetano: che cos'hanno tutti questi in comune??? Che **col cavolo che stanno zitti**. Una linguetta biforcuta che a confronto le vipere sono animali da compagnia, ma anche un'**intelligenza acuta e lucida**. Insomma lo Scorpione non può mai smettere di dire ciò che pensa, nemmeno se non glielo hai chiesto e manco ti interessava. Ha bisogno di attaccare con la punta della sua lancia e farti capire che **lui sa**, altro che!

È uno Scorpione anche **Hillary Clinton**, che ha sì sopportato le scappatelle pubbliche del marito, ma alla fine gli ha fatto capire che il vero *first lady* era

lui ed è stata a un passo dal mettere le prime chiappette di donna su quella che era stata la sua sedia padronale. Quella sì che sarebbe stata una **vendetta** da vero Scorpione.

Non pensare però che lo Scorpione sia un insensibile. Forse vorrebbe esserlo, ma non lo è. E nessuno soffre mai come uno Scorpione, il cui dolore si perde nelle strade nascoste del suo io e vi si irradia come trasportato dalle vene. Qui sei davanti al **dramma** fatto persona: a lui piace rotolarsi nel **tormento** più cupo senza nemmeno lamentarsi, tanto il mondo non capisce quello che prova lui, che appunto è dominato da un sentire fuori scala. Quindi anche quando vedi uno Scorpione con il trucco perfetto, gli occhiali scuri e un vestito da club privé non dimenticarti che dentro potrebbe piangere come una coccodrillina innamorata. Hai presente quanto ha sofferto **Demi Moore** quando Ashton Kutcher l'ha lasciata? Ecco.

AMA: GLI SCANDALI, I PIACERI, IL BUIO, LA PSICANALISI, I MISTERI, GLI OMICIDI (ANCHE QUELLI CHE NON COMPIE LUI), IL NERO MEGLIO SE DI PIZZO, I SEGRETI, IL CONTROLLO ASSOLUTO ANCHE SUI VOSTRI PENSIERI, TUTTO CIÒ CHE È INEVITABILE E VISCERALE, LE MASCHERE.

ODIA: LE DOLCEZZE SMIELATE, LE GABBIE, GLI ARRIVI, I SORRISI DI CIRCOSTANZA, I TROPPO BUONI, QUELLI CHE CREDONO ALLE FAVOLE, LA NATURA BUCOLICA, METTERSI IN POSA.

Se hai dei dubbi su quanto possa essere **sexy e provocante** ma in modo **misterioso e introverso** uno Scorpione pensa a **Kendall Jenner** che, sapendo di avere un lato B da novanta milioni di follower senza dover fare le stranezze delle sorelle, sfoggia in passerella un'acne molto evidente. Nulla turba uno Scorpione.

Un'ultima cosa che non posso proprio non dirti: sai che ho dovuto navigare ore e ore sul web in cerca di info sulla vita privata di **Emma Stone** (anche lei Scorpione col Sole congiunto a Plutone)? Lo Scorpione ama il controllo, e per averne nessuno deve sapere nulla su di lui. Il **segreto** si infittisce...

"Nella testa di uno Scorpione"

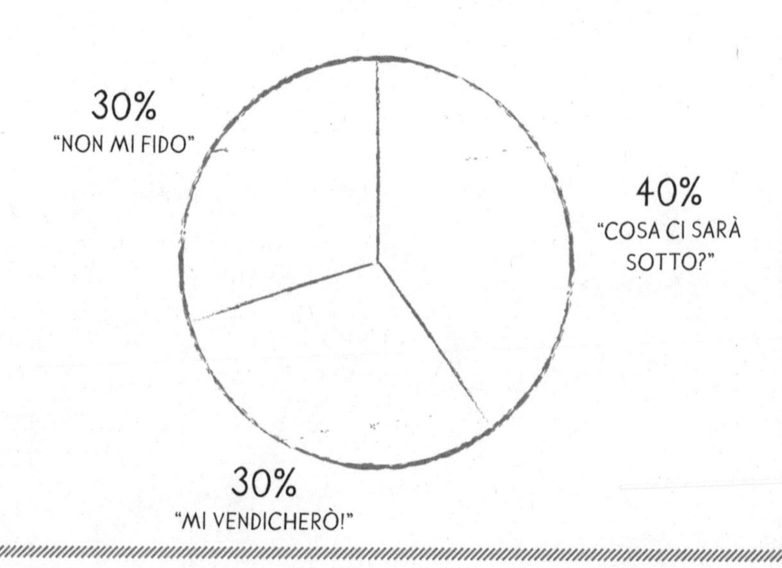

COSA È BENE NON ASPETTARTI DA UNO SCORPIONE

Che ti perdoni. È più forte di lui, se anche tenta di farlo, prima o poi gli tornerà fuori la carogna come le sfumature rosse nei capelli tinti. Non ce la fa e sappi che il non farcela fa parte della sua eterna ferita che non si rimargina. Per capirci: non ti perdona perché non smette di soffrire per quello che è successo.

Che non pensi al sesso: è un pensiero costante, imprescindibile, inevitabile. Tutto per uno Scorpione passa sotto il vaglio del desiderio sessuale, praticamente se non lo prova smette di respirare come la cernia fuori dall'acqua.

Che stia sereno: qui il dramma è scritto nel DNA e qualsiasi cosa tenti di alleviarglielo donandogli una scontata serenità assicurata (dal matrimonio alla pensione) dopo un po' lo rinsecchisce emotivamente peggio dei petali per fare il pot-pourri.

GIOCO:

Offri laute ricompense a chi spiffera un gossip segretissimo: resisteranno solo gli Scorpioni!

ESERCIZIO PER GLI SCORPIONI:

Fingi di non aver scoperto con settimane di anticipo che ti stanno organizzando una festa di compleanno a sorpresa. E fingiti sorpreso. O forse ti sto chiedendo troppo...

SAGITTARIO

DUE INFO TECNICHE MA PROPRIO DUE

Il Sagittario è dominato da una bella combinazione di Giove e Nettuno. Giove la parola, il divertimento, la fiducia, l'apertura e l'abbraccio. Nettuno il pensiero alto, mistico, filosofico, la creatività, il movimento e la trasformazione. Mettendo tutto insieme si ottiene il Sagittario. Facile, no?!

PER CAPIRE UN SAGITTARIO PENSA A...

Maria De Filippi. Quella che piace sia alla quindicenne che vuole fare la ballerina sia alla settantenne

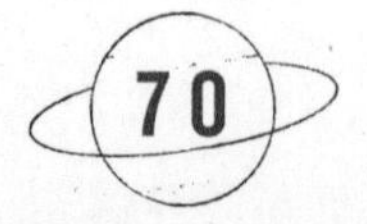

che piange davanti a *C'è posta per te*. È **sicura di sé, sa tutto e soprattutto ce lo insegna**. Il Sagittario è il terzo dei segni di fuoco, che al contrario dei primi due che combattono ciecamente, combatte sì ma con la testa. Il Sagittario è un **buonone** insomma, non è che abbia tutta questa voglia di andare in guerra, se possibile preferisce offrirti un bicchiere di vino e stordirti di parole fino a che, pur di farlo smettere, gli darai ragione.

Di Maria **ci si fida**, lei che sembra sempre voler fare il nostro bene anche quando va a ripescare il fidanzatino delle elementari che non abbiamo mai dimenticato!

C'è da dire però che, forse per una Luna in Scorpione quadrata a Giove (ma questa è roba da astrologhi che capirai solo alla fine di tutto questo libro!), manca di quel **sorriso** aperto e gioviale (appunto) del Sagittario. E allora pensa a un'altra super donna della nostra televisione, **Antonella Clerici**, che in questo è bravissima. Lei che accoglie tutti con un gran sorriso e quando la vedi, anche se è in tv, ti viene di toglierti le scarpe e mettere il tovagliolo sulle gambe. No?

«A un certo punto finirà. Nel caso diventassi patetica nel continuare a voler andare in video spero che qualcuno mi bussi sulla spalla.» *Maria De Filippi*

ALTRI SAGITTARIO SPARSI

Il **Sagittario** è il segno legato alla **religione**, intesa come evoluzione massima del pensiero, filosofeggiare, elastico del quotidiano tirato al massimo della sua potenza. Insomma il Sagittario vaga così tanto con la sua testolina che si perde, come se il viaggio mentale fosse più interessante della meta. Per ricordarti questo concetto pensa a **Papa Francesco e a Osho**. Più Osho però. Ma anche Papa Francesco che ha un Giove che spacca e si è aperto al mondo abbracciandolo forte.

Comunque **Osho** ha detto: «Se hai fiducia, accadrà sempre qualcosa che aiuterà la tua crescita. Otterrai ciò di cui hai bisogno e lo avrai al momento giusto, mai prima. Questa è la bellezza della fiducia. Quando hai imparato l'arte della fiducia, tutte le preoccupazioni scompaiono». Ecco, la fiducia è **Giove** e il Sagittario spesso appare senza preoccupazioni, fiducioso nel mondo. Poi, in eccesso, il Sagittario **sottovaluta il pericolo**.

Se parliamo di Sagittario non possiamo non parlare di **viaggio**. Questo segno ha bisogno di viaggiare come di respirare, se lo si ferma (o peggio lo si chiude in un confine, basta il cancelletto del giardino condominiale), lui si agita, sbuffa e se ne va. **Il Sagittario ha bisogno di tutto quello che non conosce già**:

terre nuove, cibi nuovi, storie nuove, pensieri nuovi, persone nuove meglio se molto diverse da lui. Se un giorno cercheranno un volontario per andare su Marte lui di sicuro alzerà la mano. *Il Sagittario ama l'estero, le lingue e le terre straniere*, più lontano è meglio è. *Ricordatelo, il viaggio è più importante della meta*, e avrai sempre in mente il Sagittario. Ti servono esempi?

Tony Wheeler. E chi caspita è??? Ti starai chiedendo. È il fondatore delle *Lonely Planet*, le guide turistiche più famose del mondo. Sagittario che più Sagittario non si può: non solo viaggia ma te lo deve raccontare per bene e dirti che cosa fare, che cosa non fare, addirittura dà i voti alle strutture. Una goduria immensa e assoluta per lui!

Ma anche *Indiana Jones*. E pure *Steven Spielberg*.

Giove è la parola e il Sagittario *zitto non ci sa proprio stare*, nemmeno se lo vuole, nemmeno se lo imbava-

AMA: CANTARE, CHIACCHIERARE, DIRE LA SUA, INSEGNARE, MUOVERSI CON QUALSIASI MEZZO DALLA BICI AL RAZZO SPAZIALE, IMPARARE COSE NUOVE, RIDERE, STAPPARE BOTTIGLIE, I LIBRI E LE LIBRERIE, LA FILOSOFIA, GLI AEROPORTI, LE INFRADITO.

ODIA: AVERE TORTO, STARE SEDUTO PER TROPPO TEMPO, ASCOLTARE, LA SOLITUDINE, LA ROUTINE, IL GUINZAGLIO, LE COSE TROPPO STRETTE.

gli. Pensa a *Crozza*, a *Woody Allen* o a *Paola Cortellesi*. Lui deve dire la sua e in questo, nonostante l'allenamento mentale che lo fa evolvere rispetto agli altri due segni di fuoco (vedi Ariete a pagina 20 e Leone a pagina 44), diciamo che la diplomazia e l'accortezza nelle parole a favore delle emotività altrui sono messe nell'armadio delle scarpe. Cioè: il Sagittario, nell'urgenza di dire, può apparire *fuori luogo, sovraeccitato, eccessivo*. Soprattutto questo accade con l'Ascendente Sagittario (e per questo ti tocca andare avanti a pagina 184). Ah, e non provare a fare dell'umorismo su di lui, perché non apprezza proprio.

COSA È BENE NON ASPETTARTI DA UN SAGITTARIO

Che ti dia ragione. Assolutamente impossibile. La discussione c'è eccome, fa parte del viaggio (mentale, dialettico) del Sagittario, ma la destinazione finale è che si fa come dice lui.

Che si prenda in giro. Altrettanto impossibile. E non farlo tu che si offende di brutto.

Che voglia stare a casa. Questa diventa qualche volta addirittura una mania... Se proprio deve restare a casa, che la tv sia accesa su un documentario e che alle pareti ci siano foto e oggetti da tutto il mondo. Qui la valigia è sempre pronta, anzi, è già davanti alla porta.

"Nella testa di un Sagittario"

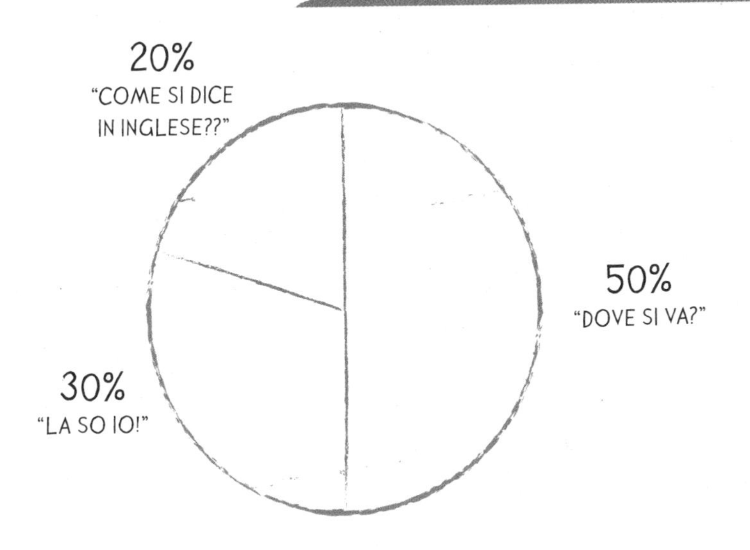

GIOCO:

A un aperitivo, chiedi a sorpresa la capitale del Burkina Faso. Il primo che alza la mano è un Sagittario. Che potrebbe anche esserci stato!

ESERCIZIO PER I SAGITTARIO:

Resisti senza commentare e nemmeno fare le facce davanti a un congiuntivo clamorosamente sbagliato!

DUE INFO TECNICHE MA PROPRIO DUE

Il Capricorno è il segno di Saturno per eccellenza. Qui c'è poco da divagare: tutto quello che è Saturno è Capricorno e viceversa, non si scappa, non si mente, non ci si prova nemmeno a essere simpatici.

PER CAPIRE UN CAPRICORNO PENSA A...

Kate Middleton, talmente perfetta da sembrare disegnata. **Non dice mai una cosa sbagliata**, tutto nella sua vita avviene nei **tempi giusti**, non si veste mai male, ogni cosa indossi fa tendenza. La vera regina d'Inghilterra è lei, si sa, e William può essere al massimo il principe consorte... Anzi, William chi?

La storia di Kate parla chiaro: non ha fretta di raggiungere i suoi obiettivi, ma gli obiettivi sono il suo pensiero fisso, giorno e notte, in modo paranoico e totalizzante, calcolatore, ambiziosissimo, lucido, programmatico e determinato. Non importa quanto tempo ci vorrà, quante fatiche dovrà sopportare, quanti "no" dovrà prendersi nei denti continuando a sorridere, quante persone dovrà avvelenare: il Capricorno prima o poi ce la fa e non sai quante migliaia di volte ha provato allo specchio il sorrisetto di godimento che sembrerà sfoggiare con noncuranza.

Kate Middleton ha preparato il suo matrimonio con William fin dalla scelta delle superiori... Non mi stupirebbe sapere che lui sia sotto l'effetto di una pozione magica o che lei gli abbia impiantato un microchip nel cervello per controllarne le risposte. Ah sì, perché un'altra caratteristica del Capricorno è proprio il controllo: nulla sfugge alla sua tabella, al suo progetto, al suo business plan. E se sei nella vita di un Capricorno, non illuderti che sia un caso, fai solo parte del suo diabolico piano per conquistare il mondo.

E poi, vogliamo parlare della forma fisica perfetta di Kate, che non era ancora uscita dall'ospedale e già aveva perso tutti i chili della gravidanza e riassorbito le smagliature per le quali noi comuni mortali anneghiamo nelle creme per mesi?! Saturno è anche lo sforzo per essere nervosamente e muscolosamente in forma. Anche se pesa quanto una spiga di grano un Capricorno non appare mai debole, è come le formiche: può sopportare un peso di dieci volte tanto il suo. Sia fisicamente sia emotivamente. Se è vero che, come in *Highlander*, ne resterà solo uno, quello sarà un Capricorno.

«No, mi dispiace, sulla mia parete avevo il poster del ragazzo della Levi's, non la foto di William.» *Kate Middleton*

ALTRI CAPRICORNO SPARSI

Dicevo che la **conquista** è un concetto importante: quanto piace al Capricorno stare al balcone papale a dire la sua al microfono (senza ascoltare cosa rispondono gli altri), applaudito e riverito come Cleopatra? Tanto. Per questo nel segno del Capricorno ci sono molti **politici**, che vorrebbero però essere degli imperatori, alla faccia di questa cavolata inutile della democrazia, da **Renzi** ad **Andreotti**, secondo il quale: «Il potere logora chi non ce l'ha». Sarà poi un caso, ma molte delle **first lady** più famose sono proprio del Capricorno: da Michelle Obama a Carla Bruni a Melania Trump, che è dell'Ariete ma ha la Luna in Capricorno. Il **potere** al Capricorno piace talmente tanto che va bene anche quando non lo riguarda direttamente, purché non sia lontano.

E a proposito di "guardare" il potere... Lo sguardo (e non solo!) del Capricorno è glaciale, non aspettarti un gesto di dolcezza, sensibilità, empatia di qualsiasi genere... e, se possibile, non farlo incazzare. Hai mai provato a guardare negli occhi una come Kate Moss, o Irina Shayk (Lady Gaga, attenta!) o Vanessa Paradis? Ecco, loro ti guardano come se volessero calpestarti e, a meno che tu non sia il loro truccatore o l'autista, stai sicuramente dando fastidio. Quindi levati!

Poi, hai notato che Johnny Deep, che ha la Luna in Capricorno, ha sposato due donne del Capricorno: Kate Moss e Vanessa Paradis? Ha capito la regola: se la Luna nel tema natale dell'uomo va d'accordo con il Sole nel tema natale della donna è amore sicuro.

Il Capricorno ama il silenzio, si esprime poco e in modo schietto... se tu stai zitto il Capricorno lo apprezza, ma se non stai zitto non importa, perché

AMA: GLI OROLOGI SOPRATTUTTO SE PREZIOSI, I BIGLIETTI DA VISITA, LE SCARPE CON IL TACCO ANCHE DI GIORNO, GLI ABITI DA LAVORO E LE VENTIQUATTRORE, L'ELEGANZA TRADIZIONALE, GLI OBIETTIVI, I DIPLOMI.

ODIA: LE PERSONE INDECISE, QUELLI CHE SI ACCONTENTANO, I RITARDATARI, GLI EMOTIVI, LE LACRIME, LE COMUNI, LE SOPRESE, LE CENE TROPPO ROMANTICHE CON I PETALI DI ROSA SUL TAVOLO.

tanto lui non ti risponde e tu al massimo puoi fare un monologo.

Infine, non dimenticarti che Saturno (l'abbiamo già visto nella Bilancia) è *forma* e perfezione. E *Sienna Miller* (che comunque ha incenerito pubblicamente Jude Law quando lui l'ha tradita con la baby sitter) ha creato una linea di abbigliamento con la sorella in perfetto stile british, con tanto di total black e trench. Insomma, niente sfarzo, siamo Capricorno!

COSA È BENE NON ASPETTARTI DA UN CAPRICORNO

Che si comporti in modo informale, che sia spensierato e sereno, spontaneo, naturale. Sarà il miglior fidanzato da portare a cena dalla nonna, ma il peggiore da far conoscere alla tua migliore amica.

Che ti prenda la mano in pubblico a meno che non sia per presentarsi. Gesti di affetto pochi e solamente dietro adeguate compensazioni.

Che ti dica che sei indispensabile per qualcosa della sua vita: che sia un bene materiale o una questione d'affetto, non lo ammetterà mai. Il sogno del Capricorno è quello di essere come San Marino: una regione a statuto autonomo se possibile anche con l'embargo e le frontiere chiuse. *L'indipendenza* qui è un valore fortissimo, quasi un'ossessione.

"Nella testa di un Capricorno"

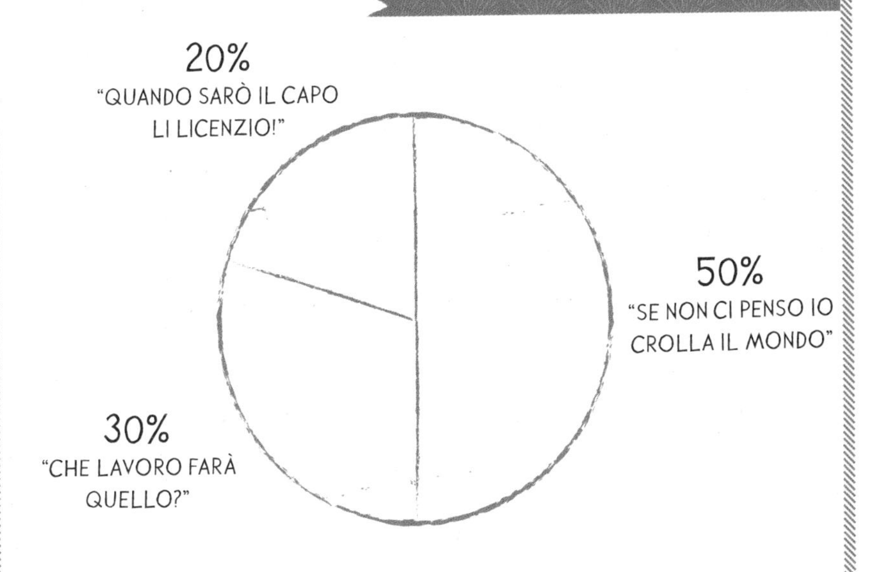

GIOCO:

Lascia incustodito l'ufficio del capo: chi correrà a simulare *conference call* con i piedi sulla scrivania sarà di certo un Capricorno!

ESERCIZIO PER I CAPRICORNO:

Partecipa a una cena di gala in jeans e senza fare neanche un cenno al tuo *job title*!

DUE INFO TECNICHE MA PROPRIO DUE

Con l'Acquario ci avviciniamo alla fine del cerchio dello Zodiaco, dove oramai il nostro uomo, che era partito con la clava dal segno dell'Ariete, adesso ne ha viste (quasi) di tutti i colori. Nel segno dell'Acquario arriva Urano a far conoscere una nuova realtà: quella della comunità, dove l'ego sparisce ma anche dove l'uomo che ha imparato le regole (nel Capricorno) adesso ne vuole sperimentare di sue. Tipi tosti, insomma.

PER CAPIRE UN ACQUARIO PENSA A...

Alicia Keys. Ebbè! Sai cosa ha detto di lei il famosissimo settimanale di musica statunitense "Billboard"? «Alicia Keys ha cambiato le regole della musica black.» E ha inquadrato perfettamente uno dei concetti chiave del segno dell'Acquario: le regole proprio non gli vanno giù.

Non c'è alcuna sorta di ribellione eh, non siamo davanti a un fanatico rivoluzionario, semplicemente a qualcuno che silenziosamente si fa i fatti suoi e che non ha nessuna voglia di seguire quello che qualcun altro ha dato per giusto. Cioè, questo non è l'adolescente Gemelli o il Leone che impera, ma proprio uno che pensa con la sua testa, liberamente, senza condizionamenti.

Sarà un caso che uno degli album di Alicia si chiami proprio *The Empire of Freedom*? No, perché qui siamo davanti a un segno per cui la libertà viene davvero prima di ogni altra cosa. E sappi che la sua libertà ha confini vastissimi, quindi vedi bene di non superare la linea gialla di sicurezza, come in metropolitana!

Per un Acquario la libertà è così importante che fa di tutto per preservarsi in una condizione in cui il suo pensiero sia asettico, non condizionato, come se mettesse cuore e cervello sottovuoto, come il piumone che torna dalla tintoria o i peperoncini che porti da giù. Ecco, l'Acquario si tiene alla larga da ogni tipo di passione che possa coinvolgerlo, travolgerlo o addirittura sconvolgerlo, e lo fa con una freddezza quasi cinica ma che lo mantiene in un microclima equilibratissimo di indifferenza e **sempreverdismo**. Cioè, difficile vedere un Acquario che si disperi, lui **sembra sempre cadere in piedi** (questo vale ancora di più per chi ha l'Ascendente in Acquario e qui puoi dare una sbirciatina più avanti, a pagina 188, ma poi torna subito qua!). E c'è da dirlo, questa **indipendenza del pensiero** rende l'Acquario **geniale e acuto**, **perspicace e velocissimo ad arrivare dritto al punto**, senza perdere tempo a sciogliersi da pensieri precostituiti. Se c'è uno che **fa tendenza**, in ogni campo, è un Acquario!

Insomma ogni tanto questo Acquario può apparire st***o (ma solo nei rapporti a due perché come amico è perfetto) nel senso di totalmente **sordo ai sentimenti altrui:** ecco, non è un'impressione ma proprio così. Meglio quindi evitare di piagnucolargli vicino o di chiamarlo per cercare parole di conforto che tanto non avrete, ma in compenso lo faranno incazzare.

Tuttavia, e qui avviene praticamente l'impossibile, devi ricordarti che questo segno è il più altruista e filantropo. Ma come è possibile? Ti chiederai (vero che te lo chiedi?!). Ora ti rispondo: perché l'ego nell'Acquario sparisce nel mucchio, nel gruppo, nel "noi", ed essere benefattore è molto meno impegna-

tivo a livello di passioni ed emozioni personali che non essere innamorato. Non so se mi spiego...

Quindi a fronte di un'*indipendenza emotiva* da lumaca (perché è ermafrodita, non ha bisogno di un +1), l'Acquario è pronto a *condividere*, a vivere di vere *amicizie* e addirittura a mettere in piedi una *comune*... ma aspettati che sparisca da un momento all'altro, senza nemmeno lasciare un biglietto di addio o un recapito telefonico!

A proposito di battaglie, Alicia è famosa per il suo movimento #nomakeup: e anche qui le convenzioni di fondotinta e rossetto sono andate al mare.

Non dimenticarti però che Urano è anche *manualità e tecnica* (se proprio scalpiti, vai a vedere i significati di Urano a pagina 156) dunque tipico di chi ha tanti pianeti in Acquario è essere particolarmente bravi con la *tecnologia*, internet e tutte quelle diavolerie di pulsanti. Alicia Keys, per dirtene una, è stata nel 2013 la Global Creative Director della BlackBerry. Pensa un po'!

AMA: LE NOVITÀ, LE SORPRESE, I CAMBIAMENTI, LE RECENSIONI, I MERCATINI DELL'USATO, IL DIY, GLI YOUTUBER E GLI INFLUENCER, LE COSE CHE NON HA ANCORA NESSUNO.

ODIA: I CONFINI, LA STABILITÀ, LE PERSONE CHE PIANGONO PER NIENTE, CHI GLI CHIEDE DI SPIEGARE PER BENE CHE COSA PROVA, I TENTENNAMENTI, LE REGOLE, I DATI DI FATTO, LE PROMESSE.

«Non esiste una formula per la mia musica, è radicata nel mio cuore e nella mia anima.» *Alicia Keys*

ALTRI ACQUARIO SPARSI

Cosa accomuna **Paris Hilton** e **Valentino Rossi**? No, non il conto in banca. Piuttosto **l'amore per la velocità**: per Vale è chiaro, ma forse non sai che anche Paris, che sei abituata a vedere con una panatura di paillettes e le zeppe da domatrice di leoni, è entrata nel Motomondiale con un proprio team. Poi, per quanto riguarda il rispetto delle regole mi sembra che i due continuino ad assomigliarsi, dato che Paris è stata espulsa da diverse scuole e Vale richiamato per aver fatto il birichino con la finanza.

Per ricordarti che uno dei concetti base dell'Acquario è proprio **l'amicizia... Jennifer Aniston**, Acquario, è stata una delle protagoniste di *Friends*.

Se è vero che l'Acquario si apre alle **stranezze** e che gli piace parecchio **stravolgere lo status quo**, pensa che **Mary Quant** ha inventato la minigonna, cambiando per sempre il modo di vestirsi delle donne.

Per completare lo spiegone sull'Acquario, ecco a te **Oprah Winfrey**, la regina di tutti i media, colei che ha ricevuto da Obama una Medaglia presidenziale per la libertà, che ha una sua associazione di beneficienza che si chiama The Angel Network e che quin-

"Nella testa di un Acquario"

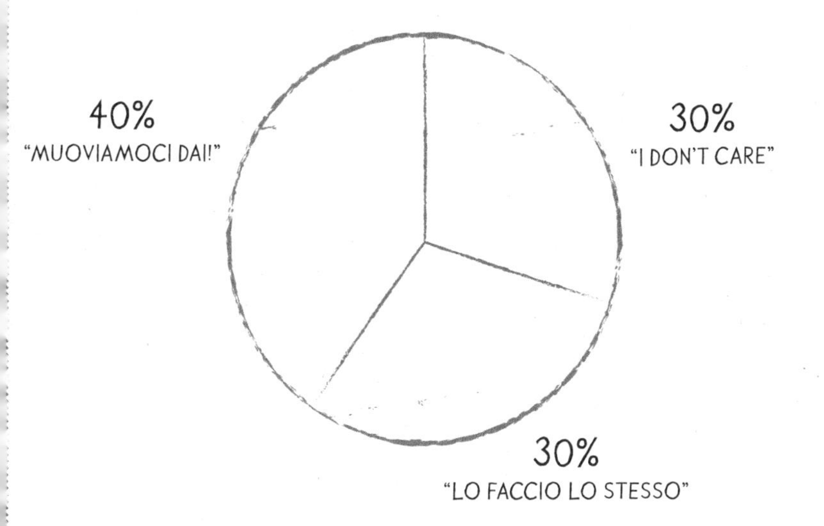

GIOCO:

Metti un annuncio per cercare un compagno di viaggio in auto per un Basilicata-coast-to-coast. Risponderanno solo Acquario!

ESERCIZIO PER GLI ACQUARIO:

Fai una dichiarazione d'amore in ginocchio. Voglio vederti piangere di commozione come sul finale di *Ghost*!

di si conquista il premio indiscusso di *filantropa* a stelle e strisce. La sua voce è così *libera e fuori dal coro* che qualsiasi opinione esprima o progetto appoggi diventa immediatamente una moda. Lei è la prima vera *influencer*, altro che la Ferragni (di cui, se vuoi, vedi a pagina 28). E poi, ricordati che nessun segno *ama il futuro* come l'Acquario, infatti Oprah ha detto: «Quando guardo il futuro è talmente splendente che mi brucia gli occhi». Non ha paura di quello che può accadere, perché *il cambiamento è linfa vitale* e non terrore di perdere qualcosa di acquisito.

COSA È BENE NON ASPETTARTI DA UN ACQUARIO

Coccole. Preferirebbe accarezzare un cactus piuttosto che la persona che ama.

Che in amore segua degli iter convenzionali che prevedano anelli di fidanzamento, matrimoni e cose del genere. A meno che non lo obblighiate, questo è ovvio. Ma di sua spontanea volontà "anche no".

Che mostri pigrizia, qui c'è movimento sia del cervellino che delle gambette. Senza affannarsi come un Ariete eh, ma il relax ozioso non è affar suo.

Che sia reperibile h24. Il solo pensiero che tu lo voglia lo manda in bestia, lo fa sudare freddo e quindi inevitabilmente gli fa meditare una fuga immediata.

Ci avviciniamo alla fine del cerchio
dello Zodiaco, dove oramai il nostro
uomo, che era partito con la clava
dal segno dell'Ariete, adesso ne ha viste
(quasi) di tutti i colori.

DUE INFO TECNICHE MA PROPRIO DUE

Eccoci arrivati all'ultimo. Si completa il cerchio, il ciclo della vita dell'uomo, e ci si prepara a ricominciare, come vuole la tradizione karmica. Nettuno domina i Pesci: l'immensità degli abissi e il flusso continuo delle acque. L'acqua qui è un elemento fondamentale che ha quasi raggiunto una sensibilità ultraterrena.

PER CAPIRE UN PESCI PENSA A...

Bebe Vio, che poi è tostissima perché ha una bella Luna nel segno del Capricorno (vedi pagina 119).

Pensa però anche alla sua *dolcezza*, al suo *credere fortissimamente nei sogni*, al suo non farsi intimorire dalla realtà, al suo *immaginare oltre* e molto più in grande di ogni concretezza. Ecco, questi sono i Pesci nella loro migliore realizzazione! I Pesci sognano, immaginano, credono fortemente (non in se stessi, in generale), spesso arrivano a essere così contemporaneamente creativi e folli da sembrare spavaldi, ma con una sensibilità nello sguardo e nei modi da andare in guerra camminando sulle punte come ballerine.

Proprio perché i Pesci sono l'ultimo dei dodici segni dello Zodiaco, qui si ha l'impressione che l'uomo abbia già provato e sperimentato tutto e per questo sia pronto ad abbandonarsi o all'extra terreno, al magico, al mistico e al religioso oppure a tutto ciò che vive negli abissi profondissimi del suo animo. Le persone di questo segno spesso sembrano avere una *serenità serafica negli occhi* che li allontana dalla realtà fatta di fretta e di incombenze per lasciare che *si perdano navigando nelle emozioni*, nei sentimenti, nelle idee e nei progetti... che probabilmente non verranno realizzati mai! I Pesci spesso *piacciono molto*. Guarda Bebe, appunto: a chi non sta simpatica? Qui non c'è attrazione erotica ma *empatia*, abbraccio virtuale... i Pesci sono *la ragazza della porta accanto*, l'amica, la sorella minore. Con i Pesci (ancor più a un Ascendente Pesci, ma per questo puoi buttare l'occhio a pagina 190) viene voglia di confidarsi, chiacchierare, perdersi in confidenze anche senza conoscersi bene. Ecco, così: **i Pesci leggono nel cuore**.

«Essere speciali significa proprio riuscire a far capire che il tuo punto debole diventa quello di cui vai più fiero.» *Bebe Vio*

ALTRI PESCI SPARSI

Le **romanticherie** di un Pesci sono e resteranno comunque sempre ineguagliabili: in particolare in amore una persona di questo segno non desisterà mai e soprattutto non imparerà mai la lezione nemmeno dopo un fallimento. Pensa agli otto matrimoni di **Liz Taylor** (... due con lo stesso marito!).

L'idealismo di persone e situazioni qui è fortissimo, nel bene e nel male. E non preoccuparti troppo se un'amica dei Pesci piange disperata dopo un amore finito, prima di tutto perché **piangere le piace un sacco** e poi perché il prossimo amore è davvero dietro l'angolo!

Può succedere che a qualche Pesci la situazione sfugga decisamente di mano e allora **ogni contatto con la realtà diventi insostenibile**... non dimenticarti che **Nettuno** (vedi pagina 156) è il pianeta delle **fughe dalla realtà** attraverso i modi più disparati: la musica sparata altissima nelle orecchie, i silenzi, le doppie vite, gli amici immaginari, le droghe e l'alcool ma anche l'arte come forte espressione creativa. Kurt Cobain e Drew Barrymore sono due personaggi che spiegano bene questa delicatezza di sentimenti, che qualche volta non regge il contatto con la realtà veloce e cruda da cui hanno bisogno di fuggire, trovando pace in qualcosa che li distolga dalle incombenze, come se le droghe fossero un tappeto magico che li fa volare via, salvandoli dal drago che li teneva prigionieri nella torre.

Per capire quanto i Pesci possano davvero essere dei visionari pensa a Steve Jobs, l'esempio perfetto di ciò a cui può portare la magica combinazione di Pesci con Ascendente Vergine (sbircia velocemente a pagina 178): un visionario concreto, un imprenditore di sogni. Quando segno e ascendente sono armoniosamente complementari...

Lucio Dalla e Pino Daniele... delicati e creativi, fragili ed

AMA: LA FUGA, LA CREATIVITÀ, LE COSE CHE SI MUOVONO COME LE GIRANDOLE, LE TENDE BIANCHE DI LINO, LE NUVOLE E LE ONDE DEL MARE, I SORRISI E GLI ABBRACCI, I SOGNI, GLI AMICI IMMAGINARI, LE DECORAZIONI, IL TULLE, LE BACCHETTE MAGICHE, GLI UNICORNI, STARE A PIEDI NUDI, I BIGLIETTINI SCRITTI A MANO, LE POESIE, I CUORI, LA MEDITAZIONE, LAMENTARSI.

ODIA: LE DECISIONI DA PRENDERE SUBITO, LE URLA, LE BOLLETTE, STARE DENTRO I BORDI, I MODULI DA COMPILARE, GLI ORARI, LE VOTAZIONI, LA FRETTA, STARE SEDUTO COMPOSTO, L'ORDINE MANIACALE, LE STRATEGIE, GLI OCCHIALI DA SOLE, LE CARTINE GEOGRAFICHE.

emotivi, sensibili e fantasiosi. Ecco, loro sono Pesci che più Pesci davvero non si può.

«Negli ultimi trentatré anni, mi sono guardato ogni mattina allo specchio chiedendomi: "Se oggi fosse l'ultimo giorno della mia vita, vorrei fare quello che sto per fare oggi?". E ogni qualvolta la risposta è no per troppi giorni di fila, capisco che c'è qualcosa che deve essere cambiato.» *Steve Jobs*

COSA È BENE NON ASPETTARTI DA UN PESCI

che prenda posizioni decise e forti. Non ce la fa proprio. Si perde nel dubbio fino alla fine, pensa e ripensa andando in paranoia e alla fine si dimentica anche quale fosse la domanda iniziale. Non fare questo a un Pesci, per favore!

che sia puntuale. Non ci sperare, ma non serve che ti arrabbi tanto è proprio impossibile per un Pesci essere in orario, se ci riesce è per puro caso (o perché c'è un Saturno molto forte in agguato!).

che dimostri sangue freddo. Eh no, qui le emozioni affiorano, che si tratti di rabbia, di totale insoddisfazione per un regalo non azzeccato o una ferita profonda. I Pesci sono pessimi per tutte quelle cose come il pocker l'inganno, la tattica, il rischio e l'azzardo. Gli si legge tutto in faccia.

"Nella testa di un Pesci"

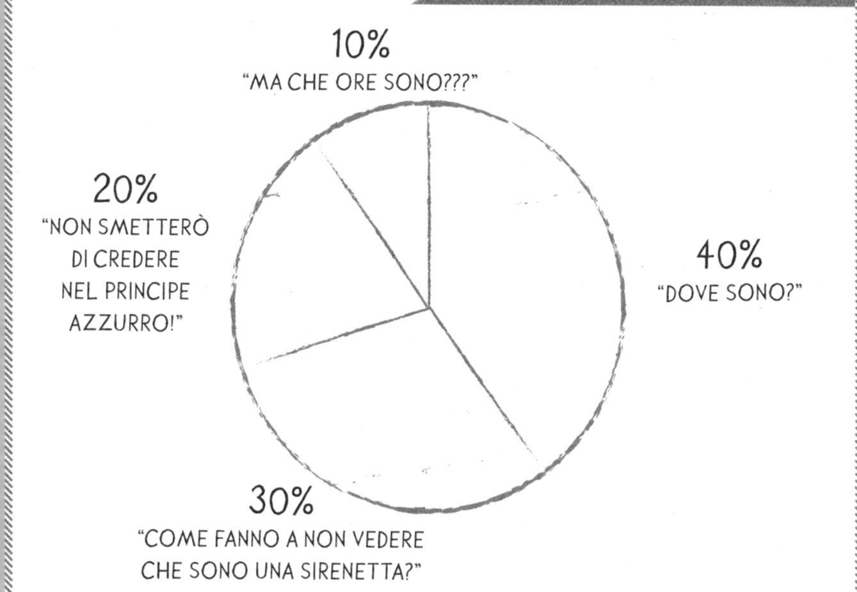

GIOCO:

Inizia a canticchiare *Salacabula* della Fata Turchina... chi saprà finire la canzone è sicuramente dei Pesci!

ESERCIZIO PER I PESCI:

Vai a pagare le bollette e poi prendi una macchina a noleggio. Tutto da solo e nella stessa mattina!

CAPITOLO 2

I SIMBOLI DEI PIANETI

Ogni pianeta esprime una particolare attività, un ambito. Così come i dodici segni zodiacali, anche i dieci pianeti che consideriamo hanno delle peculiarità in questo linguaggio di simboli che si chiama astrologia. Anzi, per essere più precisi, i segni zodiacali prendono le caratteristiche dei pianeti che li "costituiscono".

Per leggere un tema natale, quindi, dobbiamo interpretare ogni pianeta (e le sue caratteristiche) in base al segno zodiacale in cui cade (la modalità in cui questa qualità si esprime) e alla casa astrologica in cui si trova (che è l'ambito di realizzazione, lo vedremo nel capitolo 4). La combinazione tra questi tre elementi è davvero unica e questo rende **ogni tema natale praticamente irripetibile**. In più, quando mettiamo insieme, nella lettura di un tema natale, i significati di ciascun pianeta in un segno zodiacale e in una casa, non possiamo non tenere conto degli squilibri, dei contrasti, delle "cose che non tornano" e che caratterizzano proprio una persona. Cioè, non dobbiamo pensare di trovare una sola risposta univoca e incontrastata. Se i pianeti indicano caratteristiche diverse, è proprio questa diversità che dobbiamo leggere.

Per esempio, quando parliamo di come una donna vive la sua parte emotiva e sentimentale, l'amore insomma, guardiamo la sua Luna e la sua Venere. Se una donna ha la Luna in Cancro (tradizionale, dolce, sensibile, silenziosa e materna) e una Venere in Ariete (audace, passionale, con il bisogno di bruciare di desiderio in continuazione, testarda e indipendente) evidentemente vivrà l'amore come un'eterna lotta tra la voglia di un amore passionale e folle e il desiderio di mettere radici materne e accoglienti. Capito? Lo so, è un casino, ma noi siamo un casino... e meno male, se no pensa che noia!

Quando leggiamo le caratteristiche di una persona, dei dieci pianeti in un tema natale diciamo che sono *più importanti quelli veloci*: Sole, Luna, Mercurio, Venere e Marte. Gli altri, muovendosi molto lentamente, sono comuni a tante altre persone nate nella stessa generazione. Addirittura quelli lenti come Urano, Nettuno e Plutone sono pianeti generazionali e il loro studio ci permette di individuare delle correnti che disegnano appunto tendenze che durano per anni. Per i pianeti lenti e semilenti diventa più importante la casa nella quale cadono piuttosto che il segno zodiacale. Ma te lo spiego dopo. Adesso vediamo, uno per uno, i pianeti.

IL SOLE

Dato che la fascia dello Zodiaco (quel cerchio suddiviso in dodici parti - i dodici segni zodiacali - di

30 gradi ciascuna) corrisponde praticamente all'eclittica (ovvero la linea del percorso apparente del Sole attorno alla Terra, sempre per quella storia che *l'astrologia è geocentrica*, cioè è CIASCUNODINOIcentrica), allora sarà evidente anche a una bionda dentro, se non fuori come me, che lo Zodiaco segue il percorso del Sole e che le posizioni di tutti gli altri pianeti sono proiettate sul cerchio dello Zodiaco. Quindi, in qualsiasi giorno dell'anno, sappiamo in quale segno si trova il Sole, e infatti alla domanda: «Di che segno sei?» siamo tutti in grado di rispondere (e se hai ancora qualche dubbio, torna al capitolo 1), anche senza bisogno di consultare le effemeridi.

LE EFFECHE??? LE EFFEMERIDI

Le effemeridi sono le tabelle con le quali lavora l'astrologo. Come la palette colori dello stilista o le formule dello scienziato.

Le effemeridi indicano in ciascun giorno, da sempre e per sempre, *dove si trovano in ogni momento tutti i pianeti del Sistema solare*: in che segno e a che gradi precisi precisi.

Perché se non sai dove stanno i pianeti, come puoi dire a chi stanno a favore e a chi stanno sulle scatole? Sarebbe impossibile! Ma le effemeridi ci sono, quindi siamo a posto. Le trovi su Internet o in comode app.

Il Sole è l'unico pianeta che si muove a una velocità costante lungo il cerchio dello Zodiaco, visto che lo Zodiaco stesso è stato costruito proprio sul suo movimento.

I PIANETI LESI

I pianeti stanno in un segno e in una casa e in base al segno e alla casa che occupano disegnano un nostro modo di *affrontare e vivere un aspetto della vita* (diciamo Venere, l'amore). Detto questo, bisogna considerare anche altri aspetti, come il rapporto di ciascun pianeta con gli altri nel tema natale: cioè uno ama in un determinato modo, ma com'è il suo modo di amare rispetto alle altre sue tendenze? I pianeti formano con gli altri pianeti (e con l'Ascendente e il Medio Cielo) degli aspetti (trigono, sestile, quadrato, opposizione, li trovi tutti nel capitolo 5, datti pace!), praticamente delle relazioni, che possono essere d'amore oppure conflittuali.

Quando un pianeta forma tanti aspetti difficoltosi (opposizione e quadrato) con altri pianeti si definisce "leso" nel senso che è un pianeta che vive le sue caratteristiche (in base al segno e alla casa) ma con difficoltà, in modo insicuro, debole, infelice.

E adesso una cosa da una che ha chiamato il suo blog *Una parola buona per tutti*: i pianeti lesi si possono risolvere. Cioè, noi siamo attivi e non passivi nella nostra vita; viviamo, pensiamo, soffriamo, ma capiamo e facciamo cose per cambiare... o almeno così dovrebbe essere. Quindi se un pianeta importante (di solito Sole, Luna, Venere, Marte) leso porta a una situazione di partenza non semplice, noi proprio lì possiamo concentrarci, esattamente come, quando abbiamo mal di stomaco, cerchiamo di mangiare leggeri. Così succede per le "lesioni" dei pianeti: se le capiamo e ci lavoriamo sopra, le "risolviamo" e quel segno della lesione rimane come una cicatrice, un monito che ci ricorda da dove veniamo e quale grande lavoro e bel percorso abbiamo fatto. Insomma, viva i pianeti lesi!

I PIANETI ISOLATI

I pianeti isolati (poverini!) non sono quelli che stanno antipatici a tutti e nemmeno quelli bruttini che fanno tappezzeria al ballo di fine anno, bensì quelli che, all'interno del tema natale, non hanno alcun "contatto" con gli altri pianeti.

Giusto per fare un ripasso: i "contatti" possibili sono tra pianeti che distano tra loro 60 gradi (sestile), 90 gradi (quadrato), 120 gradi (trigono) e 180 gradi (opposizione), oppure quelli che sono "congiunti" cioè uno sopra l'altro come il burro sulla fetta biscottata. Chiaramente c'è una tolleranza, che può andare dai 3 gradi ai 9 gradi al massimo.

Tuttavia, in alcuni casi succede che nel tema natale ci siano uno o più pianeti isolati ovvero, appunto, pianeti che, pur con tutte le tolleranze del buon astrologo, non intrecciano mai rapporti con gli altri.

Pensa a quando hai un vicino silenzioso, ma così silenzioso da destare sospetti. Ecco, la cosa è simile: un pianeta isolato è un *pianeta diffidente*, silenzioso, strano, che sembra non essere a suo agio. Questo pianeta, con i suoi significati e le sue caratteristiche, fa fatica a inserirsi all'interno del tema natale.

Lisa Morpurgo (la prima che ha avuto un approccio logico razionale alla materia. Praticamente, la Sharon Stone dell'astrologia contemporanea!) dice che un pianeta isolato tende a essere molto legato al segno e alla casa che occupa, in un modo quasi claustrofobico nel vivere le sue caratteristiche.

LO STELLIUM

Che lo si chiami Stellium o anche solo Accumulo, il concetto è lo stesso: indica un gruppo di pianeti che si accalcano tutti vicini vicini in un unico segno o in un un'unica casa (o entrambi). Questa caratteristica spesso indebolisce la persona, perché rende più forti alcune caratteristiche (che sfiorano la maniacalità) e **non permette di trovare un equilibrio**. Ci si incaponisce su una visione e si fatica a considerarne una diversa. In più, quando si parla di oroscopo, questa situazione allunga il periodo in cui un pianeta importante (lento o semilento) esprime la sua influenza, perché ovviamente il pianeta in transito prolungherà la sua influenza su tutti i pianeti vicini dello Stellium.

PIANETI IN DOMICILIO, IN ESALTAZIONE, IN ESILIO E IN CADUTA

Ricapitoliamo: ognuno dei dodici segni zodiacali ha delle caratteristiche (vedi il capitolo 1) che sono date dal mix di pianeti che lo caratterizzano (ad esempio: l'Ariete ha le caratteristiche di Marte prima di tutto e del Sole in seconda battuta).

Ogni pianeta è quindi più o meno forte, più o meno "a suo agio" in base al segno in cui capita (per tenere lo stesso esempio: Marte, se cade nel segno dell'Ariete, si trova bene, si sente realizzato).

Così, quando un pianeta si trova in un segno che lo rappresenta si dice che è in domicilio o esaltazione.

Quando invece un pianeta si trova in un segno che non lo rappresenta (mettiamo che Marte - aggressività - cada nel segno della Bilancia) si dice che questo pianeta è in esilio o caduta. In pratica le sue caratteristiche vengono vissute dal soggetto in modo smorzato, irrisolto, svuotato, pallido.

Ok? Bene. Se fino a qua hai capito tutto, applauditi fragorosamente!

Ogni pianeta è in domicilio, in esaltazione, in esilio o in caduta a seconda del segno in cui capita.

Tranquillo, tutti abbiamo nel nostro tema natale qualche pianeta in caduta o in esilio, e non averne nessuno non è comunque indice di soli benessere o felicità. Il punto è che un pianeta in caduta o in esilio è un punto chiave sul quale dobbiamo lavorare, una debolezza alla quale dobbiamo porre attenzione per comprendere e migliorare noi stessi. Lo dice bene la Clare Martin.

LA TEORIA DI GINNY (caso mai ve ne fregasse qualcosa):

Ogni tanto il pianeta leso, in esilio o in caduta, "salva" il tema natale. Continuiamo con l'esempio di Marte, che è un pianeta molto aggressivo e che dona sicurezza in se stessi. In un tema natale con tanto Marte, con pianeti importanti in segni di fuoco e aspetti rafforzativi che legano i pianeti (per sapere cosa cavolo sono questi "aspetti", leggi il capitolo 5), avere un Marte leso può portare sicuramente a un bisogno di essere riconosciuto costantemente per superare un'insicurezza, ma smorza una potenza che altrimenti sarebbe dispotica e prepotente. Chiaro? Quasi.

Il primo a definire quali pianeti sono in domicilio per ciascun segno fu Tolomeo. Le cose sono un po' cambiate da allora, ma diciamo pure che ogni segno ha un pianeta principale che lo rappresenta, che lo "governa" (termine tecnico!) e questo è il pianeta **in domicilio**, come Marte per l'Ariete.

Ciascun segno ha anche, oltre al pianeta governatore, almeno un altro pianeta che lo caratterizza, con il quale va d'accordo. In questo caso si dice che il pianeta sia **in esaltazione**. Per l'Ariete è il Sole.

Qui stai attento: quando un pianeta si trova nel segno opposto rispetto al segno nel quale sarebbe stato in domicilio si dice che è in **esilio**. Quando invece un pianeta si trova nel segno opposto rispetto al segno nel quale sarebbe stato in esaltazione si dice che è in **caduta**.

Ecco lo schema dei segni (io seguo quello della Morpurgo) in cui i pianeti sono in domicilio, in esaltazione, in esilio o in caduta. Dove trovi due segni, significa che il primo è più forte del secondo.

Per completezza aggiungo un'ultima cosa: Lisa Morpurgo ha inserito nell'elenco dei pianeti anche X e Y, pianeti non ancora scoperti. Così, secondo lei, il suo schema di domicili e cadute sarebbe più armonioso, anche geometricamente e matematicamente parlando.

PIANETA	DOMICILIO	IN ESALTAZIONE	IN ESILIO	IN CADUTA
SOLE	LEONE	ARIETE	ACQUARIO	BILANCIA
LUNA	CANCRO	PESCI	CAPRICORNO	VERGINE
MERCURIO	GEMELLI e VERGINE	SCORPIONE	PESCI e SAGITTARIO	TORO
VENERE	TORO e BILANCIA	CANCRO	SCORPIONE e ARIETE	CAPRICORNO
MARTE	ARIETE e SCORPIONE	CAPRICORNO	BILANCIA e TORO	CANCRO
GIOVE	SAGITTARIO	TORO	GEMELLI	SCORPIONE
SATURNO	CAPRICORNO e ACQUARIO	BILANCIA	CANCRO e LEONE	ARIETE
URANO	ACQUARIO e CAPRICORNO	VERGINE	LEONE e CANCRO	PESCI
NETTUNO	PESCI e SAGITTARIO	ACQUARIO	VERGINE e GEMELLI	LEONE
PLUTONE	SCORPIONE e ARIETE	GEMELLI	TORO	SAGITTARIO

Probabilmente questa è la spiegazione peggiore che si possa trovare sulla teoria della Morpurgo, ma spiegarla per bene richiederebbe pagine e pagine e secondo me possiamo rimandare al prossimo libro (spoiler!).

La Luna

La Luna nel tema natale è un pianeta importantissimo. Più per le donne che per gli uomini – e quindi perdonatemi se in queste prossime pagine mi rivolgo principalmente alle donzelle –, ma comunque fondamentale per entrambi. L'astrologo che (secondo me, eh!) ha parlato meglio della Luna è Marco Pesatori in *Astrologia delle donne* (Neri Pozza, 2009). Sarà anche che lui ha un sacco di pianeti nel segno del Cancro che è, appunto, dominato dalla Luna? Forse! Comunque, lo incontrerai citato spesso.

COSA INDICA IN UN TEMA NATALE?

Ti ricordi Freud? Super io, Io ed Es? Ecco, la Luna è l'Es. La Luna è il nostro istinto, quel cuore pulsante che noi sentiamo fortissimo ma che dall'esterno si vede poco. È il nostro modo di reagire prima che entri in azione la ragione e poi, ancor più forte, la forma (ovvero, l'Ascendente che si presenta al mondo). La Luna è la paura e il desiderio, sono i sogni e le tensioni, i bisogni più profondi.

Se alla Luna fanno capo tutti i nostri istinti, è qui che vediamo come siamo nella nostra parte più animalesca, viscerale: desideranti, freddi, tradizionali, razionali, impulsivi. Dalla Luna deriva il nostro istinto materno e femminile più profondo: ci parla del nostro essere donna in ogni sua sfaccettatura. «Una bella Luna» dice Pesatori, «è il segnale di un Io ben integrato, capace di affrontare con sicurezza i vari ruoli che progressivamente la vita propone.»

Per questo, alla Luna si ricollega anche la donna che più ci influenza: la nostra mamma (o figura materna). Parafrasando Jung (povero lui!) con qualche tocco di Rudhyar (vedi *Il ciclo di lunazione*) si può dire che la figura materna, quindi la Luna, ci fa da cuscinetto nei primi due anni di vita, ci protegge dal mondo esterno e contemporaneamente ce lo presenta. Quindi, quanto più questa figura riesce a svolgere questo compito in modo naturale, completo, affettuoso ma solido, tanto più per noi sarà naturale e facile entrare nel mondo, rapportarci a esso, esprimervi le nostre emozioni. Dall'asilo e per sempre.

La figura materna è un punto di riferimento: positivo, da prendere a modello, o negativo, da rifuggere. È pure vero, e questo vale per tutti i pianeti, ma ancor più per quelli sensibili e interiori come la Luna, che anche qualora fosse lesa, e quindi segnasse un rapporto difficile con la nostra figura femminile di riferimento, abbiamo la possibilità di lavorarci per

superare queste difficoltà e "risolvere" così la lesione, aprendoci a una considerazione della femminilità davvero consapevole e forte.

LA LUNA IN CIASCUN SEGNO

La Luna si muove velocissima, fa il giro dei dodici segni ogni mese e sta in ogni segno due giorni e mezzo, più o meno.

Chi ha la *Luna in Ariete* ha un problema: una è emozione sensibile e silenziosa e l'altro aggressività da primitivo con la clava! (Scherzo, ovviamente.)

La Luna in Ariete indica prima di tutto una figura materna che ce le ha suonate (anche metaforicamente) e che ci ha formato una femminilità, un'emotività da vere guerriere. Tacchi a spillo e borchie, così si capisce subito chi comanda.

La Luna in Ariete non si sofferma ad ascoltare silenziosamente né dentro il suo cuoricino né tantomeno in quello altrui: il suo cuore è grandissimo e soprattutto coraggioso, protettivo come la mamma giaguara con i giaguarini, pronta a scazzottare non appena qualcuno la fa apparire debole. E se dovessi vederle delle lacrime scendere sulle guance fai finta di niente e di' che sì, c'è in giro del fastidioso polline. Anche fosse dicembre.

Le emozioni sono chiare, non superficiali ma estroverse e immediate: la Luna in Ariete azzanna la vita e se ne sente responsabile, ma senza martirizzarsi, solo prendendo in mano la situazione come un medico del pronto soccorso. La lentezza lo fa incazzare, anche in amore: via, marciare!

La Luna in Toro ti nutre, la trovi di solito al supermercato, vicino al frigorifero o con le gambe sotto al tavolo. Questa donna è concreta, senza tanti fronzoli, si occupa di tutto e lo fa con una risolutezza materna e morbida ma contemporaneamente tanto decisa da non lasciare scampo.

La donna con la Luna in Toro ci tiene a darti tutto il piacere possibile: cibo, affetto protettivo e sesso, tanto sesso. Sulle parole di conforto è meno allenata, ma se sei triste potrai contare su una parmigiana calda che ti aspetta nel forno.

Non toccarle il suo clan, perché è un attimo che si toglie il grembiule e ti sfoggia una mossa da vero ninja. Ha una capacità di difendere ciò che fa parte del suo territorio da far paura persino a un Corleone.

La donna con la Luna in Toro è tradizionale e ama la routine, quindi cerca un uomo forte, a cui possa appoggiarsi, che le accenda la carbonella del barbecue e che la soddisfi sessualmente anche sul tavolo della cucina. Poi sparecchia lei, nessun problema!

Questa donna fa parte di quello che Marco Pesatori chiama gruppo "tradizionale": territoriale, seria, affettuosa, che si rimbocca le maniche e tende a voler costruire e a mantenere lo status quo di ciò che ha ottenuto. Per questo, a meno che nel tema non ci siano indicazioni di grande profondità intellettuale, preferisce sorridere piuttosto che discutere. L'aggressività, in ogni caso, non è il suo forte.

Bisogna stringerla e farla felice con cose semplici, perché lei farà così con chi ama! Praticamente si ha a che fare con la Grande Madre Terra. Ecco, distaccarsi da questa donna non è facile.

La Luna in Gemelli è l'eterna adolescente dei sentimenti. Ti ricordi quando stavamo ore e ore al telefono con la nostra migliore amica o sdraiate nel letto a raccontarci di amori folli con compagni di classe con i quali ci eravamo scambiate al massimo due bacini sulla guancia? Ecco, così: divertente, scanzonata e leggera, la Luna in Gemelli è sempre a piedi nudi, chiacchiera e si diverte, sa sempre tutto di tutti e si imbuca nelle situazioni della vita come alle feste del sabato sera al liceo. Il punto è che, dopo tutta questa leggerezza, la Luna in Gemelli (che ha un grande potere mentale e di pensiero essendo dominata da Mercurio) diventa paranoica... la leggerezza scivola in un attimo in sentimenti forti che

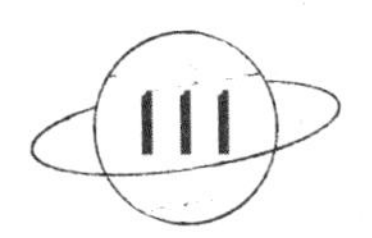

non sa comprendere e sviluppare e per questo si perde in un bicchier d'acqua di emozioni. Libera, ribelle, sempre in movimento... difficile che questa Luna ricerchi la routine nelle relazioni o nella vita quotidiana. Instabile e curiosa, delicata e acerba, inconsapevole della propria meraviglia e indecisa, indefinita. La Luna in Gemelli è un'altalena e un vestito a fiori svolazzante a piedi nudi nel prato.

La Luna in Cancro è la più sensibile che ci sia, è l'esaltazione della Luna stessa, praticamente una Luna al quadrato! Chi ha questa Luna è sensibile al punto da piangere anche quando muore la piantina di basilico presa al supermercato, ma soprattutto ha un'intelligenza emotiva da spostare gli oggetti col pensiero. Per fortuna di solito una Luna in Cancro è buona, quindi non userà questi super poteri per dirottare le nostre menti, ma tu sappi che potrebbe farlo!

Il bello di chi ha la Luna in Cancro è che mostra una dolcezza emotiva, sensibile, tradizionale, silenziosa e femminile, esile e accorta, gentile fin nel profondo del cuore ma nello stesso tempo, se le dovesse capitare qualcosa che manderebbe in crisi anche il più sicuro dei capi di Stato, lei si risolleverebbe spazzando via solo qualche granello di terra dalla gonna. Longuette, perché lei ha classe! Tradotto: mai sottovalutare la forza di una persona con la Luna in Cancro (benché sia il vero angelo del focolare), perché vive come se avesse degli amplificatori nel cuore. Sa bene cosa sia il dolore, ma l'ha anche già risolto. Ha la lacrima facilissima, ma, non temere per lei, anche il mocho sempre pronto ad asciugarla!

La Luna in Cancro è mamma (anche se è un uomo), ma di quelle che ti proteggono con un abbraccio forte e con le quali si confidano non solo i figli ma anche tutti i loro amici. È quella che ti sa capire qualsiasi cosa tu faccia e dalla quale sai che non sarai mai sgridato con la ciabatta in mano. Anche la Luna in Cancro fa parte delle donne tradizionali, ma ancora più della Luna in Toro odia le sorprese e non va certo in cerca di strampalate follie amorose.

La Luna in Leone è tanto magnifica quanto paranoica. Sappilo. Il Leone è il re per eccellenza che non sente alcun bisogno di conoscere chi sta al di fuori della sua tana, a meno che non pensi che potrebbe essergli utile. La Luna in Leone esprime i suoi sentimenti con una dose di teatralità da far impallidire Eleonora Duse in persona (che, guarda caso, ha proprio la Luna in Leone): qui niente è semplice, niente è umile, niente è standard. Anzi, se c'è una cosa che farebbe rabbrividire una persona con la Luna in Leone è proprio farla sentire normale... non ce la può proprio fare! Vitale, calda, calorosa, onnipotente, impetuosa, audace, vivace e strafottente: l'emotività della Luna in Leone è autoritaria e rapida, ma mai sprovveduta. Ma con chi credi di avere a che fare?

Tipico della Luna in Leone è fare proprie le scene madri dei film drammatici, come lo scendere dalla macchina in mezzo alla strada dopo un litigio o buttare un mazzo di rose da millemila euro nel cestino dell'umido senza fare una smorfia. Il punto è che l'orgoglio smisurato e superpotente della Luna in Leone deve poi spesso fare i conti con la realtà, e la cosa potrebbe non piacerle: si cade nella solitudine, nella paranoia, nell'abbandono...

Lascia stare l'ironia e l'autoironia e non ti venga in mente di essere troppo accudente che si infastidisce. È difficile, lo so bene. Ma se ti ama, farà di tutto per te!

Con una *Luna in Vergine* contano i fatti. C'è bisogno di concretezza, meglio se legiferata e sottoscritta dai presenti, e stai certo che, una volta raggiunta, la Luna in Vergine farà davvero di tutto per conservarla. Qui ci si accomoda volentieri nella fedeltà, nella routine, nelle regole e nei tempi che scandiscono la giornata. L'importante è che non ci siano grandi sommovimenti. La Luna in Vergine preferisce evitare un eccesso di emotività, come i carboidrati prima della prova costume, perché potrebbero farle cambiare idea sullo stato di fatto, la qual cosa la terrorizza come un pelo nel ragù. Quindi, per zittire le emozioni, decide di darsi da fare in modo pratico e soprattutto impeccabile: lava, stira, cucina e pettina le frange dei tappeti. Tutto perfettamente e contemporaneamente.

La Luna in Vergine tende a dimenticare prima di tutto se stessa e a sottomettersi volontariamente: in compenso, se senti di appartenere a una minoranza di qualsiasi genere sappi che in lei troverai un'alleata comprensiva che si sbatterà tantissimo per difenderti. Come ci ricorda Pesatori: «Le sante hanno la Luna in Vergine». E ho detto tutto.

Se c'è un problema la Luna in Vergine prima di tutto se ne accolla le colpe, poi si ritira per lunghissimo tempo a pensare, fustigandosi, e solo alla fine agisce. Nel frattempo potrebbero essere passati dieci anni e tutti là fuori essersi dimenticati di lei, modello *Cast Away*. Ma lei tornerà e, solo a quel punto, vi sfanculerà: ma sarà sicura di averlo fatto con grande cognizione di causa e indiscutibile logica.

Una cosa non si può dimenticare (questa è seria!): la Luna è emozione e la Vergine è ratio. È chiaro che questa combinazione stride un pochino e che quindi una persona con la Luna in Vergine fatichi, almeno nei momenti di formazione personale, a sentire la propria emotività come naturale: la ragione e la logica torturano le emozioni e, citando ancora Pesatori: «Tutto è una scusa per non lasciarsi andare».

Infine: se la Luna è il materno, avere la Luna in Vergine indica spesso un materno freddo e poco accogliente, al quale risponde una persona che ha bisogno di assimilare regole rigide per trovare una strada sicura alla quale abbandonarsi.

Con la **Luna in Bilancia** il senso di colpa, del giudizio, della critica e dell'autocritica assumono dimensioni apocalittiche. In compenso però anche il senso del gusto, del bello, della diplomazia e dell'equilibrio non sono male.

Tutto parte da una figura materna (sempre la Luna, appunto) piuttosto fredda e pretenziosa alla quale si risponde facendo le brave bambine con le treccine e il sorriso angelico. Questa è una Luna di Venere dove Marte si rifugge e quasi spaventa: etica, estetica, arte, armonia, dolcezza. Di sicuro le emozioni non vengono urlate ma misurate (nella Bilancia c'è anche Saturno, te lo ricordi, vero? Se no, torna a pagina 58, come al Monopoli!) e soprattutto vengono vagliate: cioè, non è che una Luna in Bilancia si conceda il lusso di provare proprio tutto quello che gli passi per la testa, qui c'è una rigorosa

scelta di che cosa sia opportuno sentire e che cosa no. Ovvio, come ti ho spiegato per la Luna in Vergine, che anche in questo caso l'emotività della Luna viene bloccata dalla parte di Saturno che c'è nella Bilancia. Almeno fino a che la persona con la Luna in Bilancia non sfancula tutto e sbotta, proprio come sopra. Praticamente qui si oscilla tra ragione e sentimento, come sulle montagne russe.

Il garbo, il bon ton, l'educazione e i bei modi di fare sono tutti della Luna in Bilancia, che però spesso si dimentica di dirti se gli stai simpatico o sulle scatole... Il perfezionismo è una grande dote, ma anche una dannazione. Anche in amore. La Luna in Bilancia spesso si rifiuta di vedere se c'è qualcosa che rovina i suoi piani... in questo è diabolica!

Ussignùr, la **Luna in Scorpione** è un vero casino. Per chi ce l'ha e per chi le sta vicino. Nulla qui è come sembra, nulla resta a galleggiare in superficie come i cetrioli nell'acqua detox: la Luna in Scorpione non si accontenta di quello che sembra e ha bisogno di approfondire la sua stessa psiche e anche quella degli altri, invadendole. Arriverà fino a ogni confine lecito del pensiero e lo supererà: l'erotico, il proibito, la psicanalisi e i confini estremi del piacere... nulla potrà fermarla e anzi ogni portone chiuso è una sfida alla quale non sa davvero resistere.

La Luna in Scorpione è una delle intelligenze più profonde e sottili dello Zodiaco, è una «nomade guerriera», come la chiama Pesatori: nessuna staticità può placare il suo bisogno di conoscere fin nel profondo e nessuna sicurezza verrà accettata per quella che appare. Ricordati che lo Scorpione è il segno legato alla Morte, quindi qualsiasi piacere viene vissuto con la consapevolezza che finirà. Mercoledì Addams era una burlona a confronto!

La Luna in Scorpione parla pochissimo, ma quando sta zitta non sta certo ripassando i passaggi della ricetta del tiramisù: trama, studia, ti studia (soprattutto!) e pensa a come ucciderti. Caso mai la facessi arrabbiare è già pronta.

Certo, avere quarant'anni e la Luna in Scorpione è una figata, ma convivere con una parte emotiva così complessa a quindici, non è per niente facile.

Chi ha la **Luna in Sagittario** non è che abbia tutta questa voglia di farsi milioni di domande: sa già dove sta la felicità (lo dice anche una canzone!) e non ha nessun problema ad andarsela a prendere e poi a indicarti la strada. Non c'è alcun tipo di egocentrismo, pigrizia, autoritarismo: la Luna in Sagittario è tipica di chi ha sempre la certezza di sapere che cosa sia giusto e quindi prende la vita (anche quella degli altri) con un sorriso beato da far invidia a

Gandhi. Anche nelle emozioni, la Luna in Sagittario non fa una piega: le è sempre tutto chiaro e farle capire che nella vita esistono anche dei tormenti, dei dubbi, delle incertezze e la voglia di rompere gratuitamente le palle alle amiche per ore al telefono è praticamente impossibile.

Qui sembra che ci sia un'emotività profonda, ma è un bluff: nel senso che la filosofia e la religione rendono sì la Luna in Sagittario magnanima, aperta al cosmo e curiosa dell'ombra, ma anche decisamente poco portata per sondare l'animo nel profondo. Per questo fa incazzare le lune negli altri segni d'acqua.

In compenso, chi ha questa Luna chiacchiera amabilmente, ama i cambiamenti e ha una sicurezza di sé da guida turistica: se sei amato da una Luna in Sagittario corri il rischio di essere soffocato, ma mai abbandonato. Ah, caso mai ti venisse il dubbio: lei non ha bisogno di nessuno.

Con la *Luna in Capricorno* ci risiamo: se la Luna è emozione sentimentale e fragile, il Capricorno è dominato da Saturno che è autorità, fermezza e determinazione. Quindi, anche qui, c'è da lavorare. La Luna in Capricorno è silenziosa e prima di far sì che si apra bisogna scaldarla a bagnomaria, come il ragù che la mamma ti mette nel freezer.

Ma proprio questa Luna, maestra di autocontrollo e di doppio pin di sicurezza sulle emozioni e sui sentimenti, è quella che più di tante altre ha bisogno di calore e abbracci ma non sa proprio come chiederli, perché qualsiasi cosa faccia si sente "sfigata".

Nella Luna in Capricorno c'è un realismo solido che non ha voglia di perdersi in malinconiche lacrimucce, ma piuttosto si rimbocca le maniche e si dà da fare. Spesso chi ha la Luna in Capricorno sa fare da sé, non chiede aiuto a nessuno, si confida poco e ha delle idee così radicate da essere sciolte solamente con grandi dimostrazioni di affetto indubitabile. E se la Luna è il materno, qui il materno era gelido, critico ma soprattutto spesso solo (o così è stato percepito... ricordati che l'astrologia riguarda ciò che noi percepiamo, che non sempre è la realtà dei fatti).

Insomma, se una Luna in Capricorno ti esprime un sentimento, innanzitutto tieni pronto l'ombrello perché sta per piovere, ma subito dopo fai l'impossibile per non deluderla, altrimenti è un casino.

L'abbandono assoluto è evitato come le griglie sui marciapiedi quando hai i tacchi a spillo: l'idealizzazione, la perdita di controllo, le emozioni che vagano e sognano non piacciono per niente. Qui siamo davanti a un cuoricino solido e tenace, robusto e resistente. Altro che femminucce!

La **Luna in Acquario** non sopporta i pensieri che ha già avuto qualcun altro: diciamoci pure che non è il massimo di emotività e che probabilmente le stai anche un po' sulle scatole (e non si fa alcun problema a dirtelo in faccia). Lei è libera, indipendente, divertente e si fa grasse risate delle paranoie altrui. Le considera perdite di tempo, mentre sarebbe decisamente più divertente concentrarsi sul futuro e su tutto quanto ancora non sia stato provato.

Non penserà mai che qualcosa sia impossibile o sconveniente: anzi, tutto quello che è sconveniente la attira parecchio. Rompe le convenzioni, le routine, le regole e i percorsi predefiniti. Rompe in generale! Il punto è: la Luna è il pianeta che governa la nostra indole profonda, ma anche il modo di sentire, giusto? Ecco, qui il sentimento è *unconventional*, allergico a tutto quello che la tiene legata al passato e alle emozioni più sconvolgenti. Non ha tempo da perdere in dubbi, piagnucolii e sentimenti che le impediscano di essere non solo cittadina del mondo ma dell'universo intero. Quindi, insomma, qui il cuore troppo sensibile la impiccia! La sua libertà viene prima di tutto, anche nel sentire... Se hai bisogno di una spalla su cui piangere meglio cercare altrove, ma se ti serve un po' di incoraggiamento dopo aver preso una decisione folle, sei dalla Luna giusta!

La **Luna in Pesci** è l'emozione più intensa, sensibile, dolce e senza alcuno scopo. Non sa nemmeno bene che cosa vuole, ma lo vuole con un'intensità che le farebbe compiere follie. Chi ha la Luna in Pesci percepisce il dolore del mondo: non ti metterebbe mai in vivavoce per potersi fare la doccia mentre stai sproloquiando lamentele. Devi esserle grato!

Qui la spiritualità sfiora la santità e stai certo che la Luna in Pesci comprenderà perfettamente ogni sfumatura delle emozioni, come gli eschimesi che hanno millemila parole per dire neve, ma se le parli di cose materiali come soldi, doveri o lavoro ti guarderà schifata e indignata manco avessi confessato di avere una pelliccia di cucciolo di foca triste.

Chi ha la Luna in Pesci ha un'immaginazione dolce che non contempla nemmeno la possibilità che al mondo ci siano persone cattive con secondi fini o che addirittura dicono le bugie. Lo so, ogni tanto ti verrà voglia di prenderla a sberle per farla riatterrare nella realtà, ma fino a quel momento la amerai follemente. La Luna in Pesci ogni tanto ha bisogno di ritirarsi nella solitudine e mettersi in aspettativa dalla vita per rigenerarsi, come il cellulare in carica. Meglio lasciarla fare e non disturbarla.

Detto tutto ciò, è chiaro che Sole e Luna (anche chiamati i "luminari") in un tema natale sono importantissimi peché sono l'Io e l'Es, la personalità e l'istinto. Freud ci ha fatto una capa tanta!

Muovendosi velocissima, ogni ventotto giorni c'è la Luna nuova e quattordici giorni dopo c'è la Luna piena. Chi nasce con la Luna nuova o la Luna piena ha specifiche caratteristiche.

La Luna congiunta al Sole (quindi se sei nato in un giorno di Luna nuova) porta a una maggiore sicurezza in se stessi (ma dipende sempre dal segno in cui cade) e a una minor capacità di vivere distintamente l'io e l'inconscio, la personalità e la parte emotiva/irrazionale/istintiva. Questi due pianeti si smorzano a vicenda e tolgono alla persona la dialettica che invece dovrebbe essere necessaria. Per questo si è più sicuri di sé, perché si è meno aperti alle domande. Tra i due, il pianeta che cade nel segno che lo rappresenta di più sarà il più forte. In generale, però, le emozioni bloccano l'Io e l'Io blocca le emozioni.

La Luna opposta al Sole (quindi se sei nato in un giorno di Luna piena) indica una frattura intima che si presenta presto nella vita di un individuo, anche se ovviamente bisogna vedere se sia stata compresa e supportata (oppure zittita e messa in un angolo) dagli altri pianeti del tema. Indica una fortissima tensione interna che però esprime grande emotività... È tipica di artisti e creativi.

Tuttavia, porta spesso anche sofferenza, perché c'è una continua lotta interna tra i due pianeti e dunque tra i due strati della personalità.

La Luna nera (che non è un pianeta, però!) Due parole due sulla Luna nera, che non è un pianeta ma una posizione.

La Luna gira attorno alla Terra, e fin qui ci siamo. Ma gira con un percorso ellittico e non perfettamente circolare. Nell'ellissi si hanno due fuochi: uno è la Terra stessa e l'altro è la Luna nera. Questo fuoco indica il potere femminile più oscuro: quello di indipendenza e ribellione, quello sessuale che ammalia, quello libero che sceglie l'indipendenza anche erotica invece della stabilità che si sottomette alle regole. Lilith era la prima moglie di Adamo e quando le era stato detto che avrebbe dovuto sottostare al marito ha deciso di deliziarlo con un dito medio e scappare a divertirsi con Lucifero. Come darle torto!

La Luna nera è la parte oscura e inquietante della personalità: per un uomo paure e ansie riferite alla donna e al sesso, per una donna la sua ombra, il suo istinto represso.

Mercurio

Mercurio fa parte dei pianeti velocissimi, cioè più veloci del Sole a percorrere il cerchio dello Zodiaco. È il pianeta dell'attività cerebrale in ogni sua forma e quello che sta più vicino al Sole e alla Luna, che rappresentano le nostre due anime: quella introspettiva e quella attiva.

Mercurio è in domicilio in due segni molto diversi tra loro: i Gemelli e la Vergine, le due diverse facce del pensiero. È importantissimo anche nello Scorpione, dove affronta un pensiero ancora differente ma molto evoluto.

COSA INDICA IN UN TEMA NATALE?

In un tema natale Mercurio indica un sacco di cose, che tra loro differiscono anche parecchio. Te le dico in ordine di importanza. Per prima cosa indica il modo di pensare, di ragionare, di usare le facoltà intellettive. In questo senso è legato all'ascolto e all'udito, ma anche al ragionamento inteso come contrapposizione all'intuito animalesco.

Poi, se pensi al fatto che Mercurio era il messaggero degli dei che svolazzava con le ali ai piedi tra

Terra e Olimpo, più veloce di un Frecciarossa senza fermate intermedie, ecco spiegato che è anche legato al concetto di movimento.

Indica anche adolescenza e giovinezza e per questo viene legato al nostro essere adolescenti e ai figli. Ma anche ai cugini e ai fratelli, cioè tutte quelle persone che fanno parte della nostra prima cerchia sociale (quella della famiglia), ma che sono sulla stessa linea rispetto a noi.

Basta, i principali li abbiamo detti. Ed è bene tenerli a mente soprattutto quando facciamo l'oroscopo, perché nella lettura del tema natale possiamo concentrarci sul significato intellettuale.

MERCURIO IN CIASCUN SEGNO

Abbiamo detto che è un pianeta velocissimo e infatti sta pochissimo in ogni segno, meno di un mese. Tuttavia, tre volte all'anno fa delle soste, ogni anno nei tre segni dello stesso elemento, aumentando di molto la sua influenza nell'oroscopo (di solito, proprio perché tanto veloce, ne ha poca): per esempio, se si svolge un lavoro di tipo intellettuale, i transiti di Mercurio, soprattutto in sosta, sono importantissimi. Con un Mercurio in opposizione, qualsiasi attività di questo tipo invece diventa più faticosa e lunga.

Mercurio in Ariete è un pensiero avventato, audace e testardissimo. Non calcola il rischio, non ascolta, non soppesa, non si preoccupa del suo effetto sugli altri. È passionale e incontenibile. Non c'è spazio per i "non si può", figuriamoci per i "no". Quando pensa una cosa deve dirla, ottenerla o realizzarla immediatamente: l'attesa e il silenzio lo snervano. Il pensiero è vivacissimo e tagliente.

Mercurio in Toro è un modo di pensare particolarmente pratico e risolutivo, tipico di chi non ama stare tanto a girarci intorno, a "ciurlare nel manico" come diceva la mia nonna milanese, ma che prende in mano la situazione e la risolve. Praticamente un *bricoleur* con la cintura per gli attrezzi sempre pronta. Poi certo, il pensiero profondo, quello emotivo o anche solamente sottile, non è il suo forte. In compenso, con un Mercurio in Toro il lavandino non perde di certo la goccia.

Mercurio in Gemelli significa pensiero umoristico, leggero, qualche volta addirittura irriverente in un modo fastidioso, da formicolio alle mani immediato. Certo, la battuta è sempre pronta, un modo di pensare senza limiti o restrizioni, curiosissimo e disponibile ad ascoltare tutte le campane, ma poi testardissimo e cocciuto sulle sue posizioni.

Chi ha **Mercurio in Cancro**, oltre a essere molto legato a figli e fratelli, ha un modo di ragionare spesso pauroso, cauto e più legato alle emozioni piuttosto che a una logica fredda e concreta.

Con chi ha **Mercurio in Leone** è impossibile ragionare, il suo pensiero è poco logico e molto prepotente. La strategia non è certo il suo forte: con lui bisogna usare l'astuzia e non il muso duro. È amante del rischio e dell'azzardo, del gossip e dello scandalo... Sarà facile vedergli trarre delle conclusioni su flirt e simili senza verificare con attenzione le fonti.

Mercurio in Vergine si trova benissimo: qui diventa serissimo, logico, concreto, strategico e risolutivo. Chi ha Mercurio in Vergine sa sempre che cosa fare, anche se ogni decisione non viene presa sull'onda dell'emotività (sia mai!) e nemmeno su quella della follia impavida: ogni pensiero è il frutto di uno studio accuratissimo che comprende ricerche di mercato, test, lista dei pro e dei contro, valutazione del rischio. In compenso, ogni evento della vita viene archiviato come case history. Fa i conti a mente meglio di C1P8 e ha una memoria da Pico della Mirandola.

Mercurio in Bilancia è l'etica per eccellenza: qui quello che è giusto ed equo viene decisamente prima di qualsiasi

parere personale o ragionamento logico. Il pensiero è rigoroso, serio e basato su informazioni che sono state accumulate con cura. Non dimentichiamoci però che chi ha questo Mercurio è anche attento all'estetica e alle buone maniere, soprattutto all'espressione delle proprie idee.

Anche **Mercurio in Scorpione** sa davvero il fatto suo: in questo caso il pensiero è profondissimo, quasi psicanalitico, arriva a comprendere cose che le parole non riescono a spiegare. È perfetto per gli psicologi o i baristi (che in fondo sono un po' gli psicologi del post ufficio!). Fornisce fantasie erotiche da libro hard e dona un sesto senso da agente segreto. Certo, una persona con Mercurio in Scorpione diffida quasi sempre del resto del genere umano, ma questo perché la sua mente è in grado di escogitare intrighi internazionali da KGB.

Mercurio in Sagittario, mamma mia, crede di sapere tutto. E tocca ammettere che spesso è quasi vero. Questo perché chi ha Mercurio in Sagittario è da sempre alla ricerca di novità, informazioni, cose da studiare e da imparare e ha una memoria davvero invidiabile (come Mercurio in Vergine). Il saputello per eccellenza non vede l'ora di sfoggiare la sua ottima pronuncia in diverse lingue da tutto il globo.

Mercurio in Capricorno è l'ottimizzazione per antonomasia dei tempi e dei programmi. Qui non si perde tempo in ironia e chiacchiere di piacere: l'obiettivo del successo si fa sentire scalpitante. È programmatico, concreto, *problem solver* e molto ambizioso. Il pensiero è strategico all'eccesso e il controllo in ogni decisione fortissimo.

Mercurio in Acquario è un pensiero creativo e anticonvenzionale: per certi versi genialissimo, per altri difficile da far rientrare in una serie di regole e doveri alla quale sembra allergico per natura. La sua libertà fatica a trovare un compromesso con cose come le tabelline e le poesie da imparare a memoria; in compenso, se cerchi qualcosa davvero fuori dal comune, chi ha Mercurio in Acquario avrà senz'altro buone idee.

Mercurio in Pesci è l'anti Mercurio, quello che fa fatica a mettere un pensiero nero su bianco senza che perda tutta la magia dell'immaginazione, della fantasia e dell'irrealtà. Qui il pensiero è confuso e dubbioso, irreale e impalpabile, emotivo e magico. Se cerchi chi ti faccia sognare anche solo leggendoti le istruzioni di montaggio del frullatore, sei nel posto giusto. E immagina che cosa potrebbe fare con le lettere d'amore!

Venere

Venere è il pianeta del nostro modo di vivere l'amore, che cambia a seconda del segno zodiacale nel quale si trova. E non parlo solo di coppia, ma di relazioni sentimentali in senso più ampio, verso gli amici, i parenti, i figli. È uno dei due pianeti del tema natale (l'altro è la Luna) che dà indicazioni sulla nostra parte emotiva: la Luna è quella più intima, Venere quella che esprimiamo.

L'amore è anche quello verso noi stessi, il nostro modo di vivere la bellezza e il piacere.

Venere e Luna sono i due pianeti femminili del nostro tema natale, quindi più importanti per una donna che per un uomo. Sottolineano il lato femminile di una persona che, pur essendo presente in ognuno di noi, uomini compresi, in loro è di solito meno evidente.

COSA INDICA IN UN TEMA NATALE?

Be', ci puoi arrivare anche da solo. Venere indica tutte le sfumature dell'amore: per se stessi, per una persona speciale, per gli amici, per l'arte e la bellezza. Venere è il bello, l'educato, il dolce e l'amorevole.

Indica il modo in cui amiamo, secondo quali valori e con quali caratteristiche. E anche il modo in cui vogliamo essere amati, ovviamente! Dal segno e dalla casa di Venere in un tema natale capiamo che tipo di bellezza ricerca la persona che stiamo leggendo: estrosa o leggera, acqua e sapone o tutta borchie? Venere in posizioni particolari è invece legata a problematiche di salute (se è in sesta o in dodicesima casa, ad esempio). Venere è il modo in cui viviamo i piaceri di ogni genere. Chiaro, no?

VENERE IN CIASCUN SEGNO

Venere non si perde in chiacchiere: un mesetto in ogni segno, più o meno. Più meno che più. E via veloce!

La *Venere in Ariete* comanda. Non c'è nemmeno discussione. Ti sceglie, come si fa con l'aragosta al ristorante, e non si preoccupa dei tuoi mugolii: se ha deciso che devi essere suo lo sarai e basta, che tu lo voglia o no. La Venere in Ariete combatte, lotta, nasce incazzata e non si fa certo aggirare da romanticherie da Baci Perugina. Non sopporta i limiti, le regole, le prepotenze e le tradizioni. Ti guarda ringhiando e poi ti mangia di passione come un cannibale a dieta. Non ti lamenterai, lo so!

Il modo di amare di Venere in Ariete è autoritario e autonomo, indipendente come la vedova nera, tanto che se si innamora di te lo fa bruciando di passione incontenibile e poi buttandoti via non appena diventerai noioso e scontato, come si fa con una lente a contatto usa e getta. Una lente giornaliera, per farti capire meglio quanto durerai.

Questa Venere ama come un'amazzone cocciuta ma sincera: non te le manda a dire e non teme di essere una rompiscatole. Al massimo, sarà un problema tuo, non suo. Soprattutto non teme confronti: cari/care ex, qui avete vita difficilissima.

In compenso, per tutto il (poco, probabilmente) tempo in cui una Venere in Ariete vi amerà lo farà con una schiettezza che non conosce misteriosi sotterfugi o giochetti maliziosi. Qui è tutto e subito, come con Amazon Prime!

Per chi ha **Venere in Toro** l'amore è una cosa semplice, come un piatto di tagliatelle al ragù. Vuole essere amato senza troppi fronzoli, senza perdere tempo ad analizzare emozioni profonde, piuttosto investendolo in baci, coccole, abbracci forti, cene e progetti costruttivi. Il piacere del corpo qui è piacere dello spirito, *that's it*!

L'approccio all'amore è solido ma carnale e carnoso, fatto di piaceri, risate e sesso. Tanto sesso. Le cose vengono valutate per quello che sono, non per quello che potrebbero essere o per come potrebbero apparire all'altra metà. Non c'è discussione: se fai una cavolata con chi ha la Venere in Toro, non cercare di spiegare il tuo punto di vista sperando sia indulgente, perché del tuo punto di vista non gliene può fregare di meno. Chiaro? Dattela a gambe prima che comincino a volare i piatti.

Con la Venere in Toro si ama la routine anche in amore: le abitudini, i vestiti da casa, le cene in giardino (che, tra l'altro, è proprio una sua passione, come tutto ciò che è naturale). Non servono stranezze o follie, molto meglio la tradizione, le feste comandate, gli anniversari e le vacanze organizzate in anticipo! La famiglia del Mulino Bianco, che ha plasmato la nostra concezione di amore, qui va benissimo.

Per la Venere in Toro la bellezza è femminile, lenta, formosa e morbida.

Venere in Gemelli vuole essere limonata sotto al portone e portata in giro cantando in motorino: la principessa Anna di *Vacanze Romane*! Qui la difficoltà sta nella conquista e nel mantenimento. Ti spiego: chi ha la Venere in Gemelli è alla ricerca di cose che stimolino la sua testolina, prima del cuore. La passione non è profonda ma leggera, c'è tanta voglia di ridere - più che di promettere e di giocare (anche nel letto) - prima che di fare progetti. La Venere in Gemelli si annoia parecchio (e qui la fase del mantenimento): vietato sedersi, vietato ripetersi. Non dimenticare che questa Venere è tra le più fedifraghe: è un modo di amare adolescenziale, quindi bulimico e veloce. Certo: Lolita seduce parecchio e fa perdere davvero la testa, ma poi nel quotidiano questi capricci irrequieti perdono di fascino. Il segreto qui è lasciare le porte sempre aperte: chiudersi in ruoli statici non funziona... quasi mai!

Con **Venere in Cancro** l'amore è amore del cuore e non della mente. Non si valutano i pro e i contro, non si guarda agli interessi, non si fanno strategie o progetti. Anzi, sì, il progetto c'è ed è comune, quello di una famiglia che rispecchi il più possibile la famiglia di origine e nella quale sentirsi protetto in eterno, contro qualsiasi cosa. La Venere in Cancro ha un oceanico bisogno di affetto e il suo amore è nell'anima, è potente e infinito, ma soprattutto ha poco o nulla di aggressivo. È protettiva e magica, fantasiosa e immaginaria, calda e silenziosa, lontana dagli eccessi. Difficilmente metterà in scena una dichiarazione d'amore eclatante; niente aeroplano che scrive "ti amo" in cielo, più probabile che venga a prenderti in aeroporto con la cena nel Tupperware!

Una Venere in Cancro ama così profondamente che sa difendere il suo amore dagli estranei, siano essi competitor in amore o amici invadenti. E attenzione a ferirla: tirerebbe fuori la frusta per punire chi si sia dimostrato inadeguato a ricoprire un ruolo importante nel suo sogno d'amore!

Per una Venere in Cancro la bellezza è naturale e delicata e non dimentica la bellezza di ciò che sta attorno: la casa è curata e imbellettata come se si trattasse del proprio outfit per fare da damigella a un matrimonio!

Se hai la **Venere in Leone** sappi che ricercherai sempre e per sempre amori impossibili, folli, che bruciano di passione e che di solito fanno incazzare mamma e papà. Se sei una donna con la Venere in Leone, il partner che vorrai al tuo fianco non deve certo essere un surrogato della figura paterna, ma potenzialmente dannato e ribelle, fichissimo e, se possibile, anche con un passato da artista o da delinquente. Anzi, se potessi innamorarti di uno stuntman sarebbe meraviglioso! E anche se sei un uomo quello che cerchi non è la normalità della vita casalinga e della spesa al supermercato il sabato mattina, ma piuttosto emozioni fortissime e continuamente tenute sulla lama del rasoio.

La Venere in Leone è una persona orgogliosissima, che pretende (perché è giusto!) di essere amata e adorata e, specialmente, stupita di continuo. Se è attraversata anche solo dal sospetto di essere tradita, ecco che inizia a preparare il patibolo. Chiaro? Occhio!

In compenso, stai certo che una Venere in Leone ti amerà calorosamente e con tutti i confort (ma paghi tu, sia chiaro!) e soprattutto ti sottoporrà a tour sessuali da far impallidire anche un ventenne in esplosione ormonale. Le sue energie sono potentissime e divampano, perché vuole assicurarsi che la sua metà sia un fedele suddito, e il sesso in questo aiuta parecchio. Probabile che durante l'amplesso vi frusti anche, non fateci caso!

Insomma, non essere troppo sdolcinato e abbonda di complimenti. E ricorda, qui non conta il pensiero, ma solidi diamanti!

Avere la **Venere in Vergine** è meglio che avere un congelatore di quelli che trasportano i marlin dalle acque dell'Atlantico ai banchi del mercato del pesce di Tokyo. Chiunque capiti nella sfera d'amore di chi ha la Venere in Vergine ne potrebbe uscire tale e quale anche dopo quindici anni. Qui la conservazione è tutto (e torniamo al congelatore!). Di contro, una Venere in Vergine preferisce non vedere, non chiedere, non sapere e soffrire del senso di inadeguatezza che ritiene di meritarsi (a meno che nel tema natale non prevalgano pianeti in segni dall'ego spinto): è praticamente una donna anni cinquanta (anche se è un uomo, eh!) con il grembiule, la salsa fatta in casa e il bicchiere di bourbon che attende il marito che torna dal lavoro. Che lavoro (o altro) faccia il marito fuori di casa poco le interessa. Lei lo aspetta lì, con il bourbon.

La Venere in Vergine indica un modo di amare tradizionalissimo e anche sottomesso: vizia il partner, sorride e fa sesso anche se ha mal di testa o ha lavorato troppo, l'importante è che la sua metà sia soddisfatta. L'unico modo per far sì che una persona con la Venere in Vergine si riprenda davvero e tiri fuori un po' di sano egoismo incazzato è farle un torto enorme: dato che sa di non meritarselo (e ha conservato le prove!) allora tu sei davvero uno st****o e la trasformazione sarà repentina quanto straordinaria. Occhio.

Se hai una mamma con la Venere in Vergine crescerai come un damerino con la cameriera.

Una dritta: chi ha la Venere in Vergine usa il senso pratico, la costanza, l'essere perfettamente indispensabile per supplire al bisogno di calore umano al quale spesso fatica ad abbandonarsi del tutto. Ma una Venere in Vergine coccolata e adorata non ti abbandonerà più.

Se hai la *Venere in Bilancia* puoi tirartela davvero tanto e dirlo subito, già nella prima mezz'ora di chat WhatsApp. Come rispondere a uno che ti dice che hai delle tette fichissime che sono tue e che non hai nemmeno il push up. Una vera soddisfazione.

Ma perché puoi tirartela? Perché la Venere in Bilancia è un modo di amare tradizionale ma equilibrato: ci sta da dio, come la panna sulle fragole. Anche se le fragole con la panna non se le magna perché fanno ingrassare e qui l'estetica non è proprio tutto, ma un buon 50%!

Torniamo a noi: se hai la Venere in Bilancia sei fatto per stare in coppia, sai che cosa sia il compromesso, sai amare incondizionatamente, la mattina sai alzarti prima di nascosto per correre in bagno a lavarti i denti per poi baciare profumatamente la dolce metà e far finta che le mentine ti vengano rilasciate in bocca durante la notte.

Diciamoci pure però che questa bellezza perfetta ogni tanto diventa pure ossessione, e dalle diete al chirurgo plastico vale tutto. Ma vabbé!

Parliamo però di come ama la Venere in Bilancia: senza aggressività, idealizzando il partner dopo averlo selezionato che nemmeno a X Factor. Cioè, per capirci: per colpa di Saturno la Venere in Bilancia è selettiva e anche un po' sulle sue, ma grazie a Venere ha buon gusto. Quindi chi vuole essere la sua metà deve dimostrare di avere il pedigree. A quel punto, probabilmente l'avrai annoiata e si starà già innamorando di qualcun altro, falsificando lei stessa le carte per fare finta (con se stessa) che sia quello perfetto. È tutto nella sua testa, e per questo spesso poi ci rimane male perché l'idealizzazione che si era costruita per benino si rivela una fregatura. Ma anche in questo caso, non perde l'aplomb: sorride e va a ordinare un Cosmopolitan.

La Venere in Bilancia è bella (bellissima!), buona, rigorosa, fedele e rompipalle: secondo l'astrologia classica è la donna ideale.

Chi ha la **Venere in Scorpione** ama davvero come nessun altro. E io ho la Venere in Scorpione! È bene però sapere fin da subito che sarebbe meglio non provocare mai la nostra gelosia, perché è una delle più pericolose dello Zodiaco: statisticamente la maggior parte dei maschi che si presenta al pronto soccorso con una ferita da tacco dodici è fidanzato con una Venere in Scorpione e ha pensato un apprezzamento su un'altra ragazza. L'ha solo pensato, perché se l'avesse detto sarebbe morto! Chiaro???

Ad ogni modo: la Venere in Scorpione è passione caldissima e profonda, amore infinito e infernale, è desiderio e infedeltà (soprattutto se la annoi e la domenica resti in tuta davanti alla tv), ma soprattutto è dialettica continua. Se stai cercando un amore stabile e dalla routine prevedibile stalle lontano, perché qui la voglia di provocare è un bisogno, più che un desiderio. Questa è una tigre, una pantera, un giaguaro del materasso che ti metterà a dura prova sia fisicamente (Marte dona grandissima resistenza a questo amore) sia eroticamente. Segui le fantasie più oscene senza fare storie, seguila nei meandri oscuri del piacere proibito e solo così te la terrai stretta. Mamma mia che paura!

La *Venere in Sagittario* ama di un amore compulsivo e totalizzante: fa davvero di tutto per far stare bene le persone che ama, addirittura troppo. Praticamente, se una Venere in Sagittario ti ama, sei nella cacca. Per liberarti di lei non potrai nemmeno emigrare, perché nessuna meglio di lei sa inseguire in qualsiasi angolino del mondo...

Il punto è che chi ha la Venere in Sagittario è gioviale e vivace, attivo e generoso per natura, quindi per te si farà davvero in quattro e trovare un buon motivo per liberartene sarà difficilissimo: instancabile e dal cuore grande, divertente e indipendente. Insomma, una persona perfetta!

In compenso però la Venere in Sagittario vuole spiegarti per bene cosa sia la vita, da come trovare la felicità a come accelerare il metabolismo. Sembra che sia depositaria di tutte le verità assolute e che abbia deciso di insegnarle proprio a te, che sei l'oggetto del suo desiderio e della sua missione divina di fare del bene in questa terra di problemi superficiali. È una Venere con così tanta fiducia in se stessa che non va in paranoia nemmeno se la tratti male o non le rispondi al telefono per giorni, e non si perderà nei cunicoli delle domande sul perché, ma alzerà il telefono per chiederti se hai forse perso il suo numero.

Detto tutto questo, rimane però una Venere amazzonica (sempre come dice Pesatori) quindi comanda lei e il partner le serve solamente come obiettivo da mettere a budget annualmente, preferibilmente nella colonna dei +. Con chi ha la Venere in Sagittario bisogna lasciar fare e soprattutto lasciar perdere: fingi di ascoltare e prenota un volo per il weekend ed è fatta.

La **Venere in Capricorno** sta con qualcuno solo per fargli un favore, perché lei non ne ha alcun bisogno. Non solo si basta, ma è anche fin troppo per se stessa, quindi dille grazie e pedala! Proprio per questo motivo col cavolo che va a conquistarsi ciò che è suo, lei ci pensa bene, valuta e rivaluta, decide con calma e poi ti manda una proposta via email, meglio se tramite pec. E sappi che metterà in cc il suo avvocato.

Qui l'amore è concretezza, solidità, indipendenza e anche un po' di sano fastidio nell'averti troppo in mezzo alle scatole. La Venere in Capricorno, in compenso, pare che a letto sia una bomba e tutta questa storia della resistenza si dimostri anche in questo caso... non farti trovare impreparato.

In più, una persona che ha la Venere in Capricorno è talmente un punto di riferimento che spesso diventa indispensabile a chi le sta attorno, cosa che non sempre le farà piacere.

Se vuoi conquistarla sappi che è molto sensibile ai 730 abbondanti. Praticamente "se mi ami, bonificami". Un assegno è per sempre, l'amore non si sa.

Nessuno provi a sgarrare con una Venere in Capricorno: non se la lega al dito... lega direttamente te a un palo. Non è questione di essere vendicativa, sia chiaro, solo che ci ha messo così tanto tempo a fidarsi di qualcuno che se quel qualcuno tradisce la sua fiducia ci rimane davvero male. Ed essendo una tipa pratica ti fa fuori, così non rischia che tu faccia male a qualcun altro. Sostanzialmente sta facendo un favore all'umanità!

Avere la **Venere in Acquario** è una vera figata per chi ce l'ha, decisamente meno per chi se ne innamora, peggio se è di un segno d'acqua. Mi spiego: la Venere in Acquario è di un amore non convenzionale e libero.... al solo annusare una piccola certezza, una definizione, una promessa o una forma di tradizione fugge a gambe levate. Te la ricordi Julia Roberts in *Se scappi ti sposo*? Ecco, aveva di sicuro la Venere in Acquario. In compenso, qui ci si diverte parecchio, sotto e sopra le lenzuola... anche se la passione femminile e calda non le appartiene (e nemmeno quella dolce e sensibile).

Il gusto di fare e dire tutto quello che non è standard e nel farlo, chi ha la Venere in Acquario, non ha alcun secondo fine se non il suo piacere personale. Non c'è strategia, non c'è gelosia, non c'è nemmeno un briciolo di malinconia se te ne vai: insomma le passioni turbolente, quelle che sconquassano l'animo e fanno fare cose da film romantico sono state chiuse nel gabbiotto delle scope. Facile quindi che la si prenda per fredda, scostante, sensibile come il proprietario di un'azienda di demolizione di auto. Ma non è mica st***a, eh! Solo che la sua indipendenza, la sua libertà e la sua voglia di farsi gli affari suoi sono più importanti di qualsiasi genere di amore arrivi da fuori.

Tutto ciò che è imprevedibile qui è lecito... e preparati a decisioni repentine, colpi di testa tipo matrimoni lampo, ma anche fughe dalla finestra del bagno piantando lì una "romantica" cena al ristorante.

Chi ha la **Venere in Pesci** ama così tanto e così tanti, tutti contemporaneamente, che spesso una buona parte di loro nemmeno sa della sua esistenza. Qui l'amore è totalizzante, sensibile ed emotivo, con la lacrima facile e il sogno sulla punta delle ciglia. Chi ha la Venere in Pesci ama prendersi cura della sofferenza dell'universo intero comprese sfilze di amanti, amori, flirt. La missione è il suo forte e per conquistarla basta tirarle delle pezze infinite su malanni fisici e del cuore: sarà indiscutibilmente tua per tutta la vita.

Non farti fregare se sembra un'anima perduta e fatta di marzapane: no, perché la fuga è facilissima... ma non è la fuga da "mi vado a cercare qualcuno di più divertente", come quella della Venere in Acquario, bensì una fuga per prendersi una pausa da tutto questo amore cosmico e ritirarsi nella solitudine di un monastero zen (delle emozioni). Ah, e sappi che la Venere in Pesci non ha certo bisogno di un partner a tutti i costi: ha solo bisogno di amare, quindi tu fai un po' quello che vuoi e cerca di non starle troppo addosso, che ha da fare.

È eccessiva: non ci sono limiti, e soprattutto quel Nettuno così importante la rende capace di amare oltre ogni limite del lecito e dell'illecito. Una delle sue migliori perversioni è provare insieme al partner delle sostanze che facciano distaccare dalla realtà. Ma io non ti ho detto niente, ok!?

Marte

Marte è l'energia, la sicurezza in se stessi, l'aggressività, il modo di arrabbiarci, il modo di imporci. È il pianeta legato alla nostra parte fisica. Se Venere era amore e femminilità, Marte è maschio, eros. Più importante negli uomini che non nelle donne, è legato al simbolo fallico: erotico e audace.

COSA INDICA IN UN TEMA NATALE?

Marte in un tema natale indica come viviamo l'eros, il sex appeal, la rabbia, la decisione, l'imposizione del nostro ego. Indica come gestiamo le energie: un Marte molto forte significa energie, anche fisiche, dirompenti, estroverse e vitali e nello stesso tempo aggressive e invadenti.

Un Marte leso, o che cade in un pianeta che lo rispecchia poco, può portare a delle insicurezze che il soggetto vive o in modo limitante, chiudendosi in se stesso, oppure con atteggiamenti prepotenti, per vedersi riconosciuto.

Per un uomo, avere un Marte debole può portare a un approccio stridente con le altre persone, per il bisogno di colmare un'insicurezza. Averlo invece in quadratura o in opposizione (vedi capitolo 5) indica un bisogno di riscatto nei confronti della figura paterna e quindi di realizzazione che va oltre l'ambizione e che non accetta ragioni.

Litigare con chi ha Marte leso è difficilissimo! Quelli che hanno un Marte debole invece spesso non litigano e si tengono tutto dentro.

MARTE IN CIASCUN SEGNO

Questo pianeta si ferma in ogni segno un mesetto abbondante, ma ogni due anni fa una sosta lunghissima in un segno. E lì sono c***i!!!

Marte in Ariete è proprio nel posto giusto al momento giusto. Porta prestanza fisica, un sex appeal da capitano della squadra di football al liceo e una determinazione da prendere i muri a testate. Certo, tutto questo ha i suoi "contro", nel senso che l'ego è smisurato e soprattutto inscalfibile!

Marte in Toro si riprende dall'essere appena stato un Marte in Ariete: si siede. Qui le energie rallentano come dopo uno sforzo. È godereccio in ogni aspetto della vita, dal cibo al sesso fino al piacere della lentezza e della chiacchiera senza secondi fini. Marte in Toro agisce non solo senza troppi pensieri, ma ritenendo che i troppi pensieri non esistano. È schietto e limpido, direttissimo e naturale.

Marte in Gemelli porta al bisogno di muoversi e alla totale insofferenza verso le convenzioni, peggio ancora seduti o in una stanza chiusa. Sempre in attività, ha bisogno di flirtare senza conseguenze in qualsiasi situazione. Le energie sono infinite ma non aggressive, piuttosto vivaci e giocose, con la necessità di sapere e conoscere sempre cose nuove.

Marte in Cancro è un controsenso: l'aggressività estroversa e vivace nel segno più emotivo e silenzioso. Come il gelato al cioccolato sopra la tagliatella al ragù, proprio non c'entra! Sessualmente è un intrigo di emozioni e passioni che nemmeno i fili delle cuffie del cellulare. Nella vita però porta spesso a frustrazioni. Prima o poi esplode.

Impossibile discutere con un **Marte in Leone**: ha ragione lui. Ordina, non chiede, non discute, ma dichiara. In compenso è dotata di una scorta inesauribile di energie fisiche: non è mai stanco, come se avesse un pannello solare sulla testa! Qui non si pensa (a meno che non si abbiano tanti pianeti in segni di terra o acqua) se non dopo aver subito le conseguenze delle proprie azioni.

Con *Marte in Vergine* le energie cercano di essere tenute al guinzaglio dalla logica, finendo in un tunnel, spesso senza uscita, di azioni incompiute che innescano una catena di "e se avessi fatto?". Sente l'ansia per il tempo che scorre e in generale per ogni azione. Frustrato, ma sempre polemico.

Marte in Bilancia è un'aggressività che cerca un compromesso, quindi ingabbiata e spesso insoddisfatta. Prima di arrabbiarsi ci si assicura di essere nel giusto. Un Marte in Bilancia se leso può rendere insicuri e frustrati, ma in un tema natale di decisione e determinazione riporta equilibrio e armonia.

Marte in Scorpione è super sexy, di un erotismo magnetico! Porta determinazione ben mescolata a paranoia e la voglia di avere tutto sotto controllo. Sa gelarti con uno sguardo bollente, non so se mi spiego! Anche nelle questioni economiche ha la freddezza di un giocatore di poker!

Marte in Sagittario è da iniziatori, da chi non ha nessuna paura del nuovo, del diverso. Anche qui la risolutezza spesso sfora nella prepotenza, risultando qualche volta addirittura fuori luogo, soprattutto quando non si riesce a mettere al guinzaglio un'opinione detta impulsivamente... scappa fuori prima che il cervello possa intervenire.

Marte in Capricorno sta bene come il rosa con il verde: si esalta! Vuole alzare la coppa sul primo scalino del podio. È grandissima ambizione, determinazione, sopportazione delle fatiche e pochissima pietà per chi non è sempre sul pezzo. Non dirà mai che è stanco o che non si può fare, neanche su questioni erotiche. La durata, prima di tutto!

Marte in Acquario è un innovatore che non vuole sentire ragioni, pensa con la sua testa, non perde tempo ad arrabbiarsi perché tutte le sue energie devono essere impiegate per seguire la sua strada. Che non ti venga in mente di tenerlo al guinzaglio, troverà una soluzione astuta per liberarsi dalle catene e non farsi trovare, a costo di cambiare pianeta!

Marte in Pesci ha sempre bisogno di una via di fuga: anche qui, come in Cancro, si ha un controsenso. Nel segno dei Pesci c'è la Luna molto forte, quindi le emozioni e la dolcezza, che invece mancano al pianeta Marte, che è azione ed energia. Le azioni qui sono spesso idealizzate, mosse da convinzioni della propria testolina, non necessariamente reali. Qualche volta Marte in Pesci può essere folle nella sua audacia che fa poco i conti con la realtà.

Giove e Saturno: i pianeti semilenti

Sono sicuramente meno importanti dei pianeti veloci per delineare la nostra personalità... a meno che, chiaramente, non facciano aspetti particolari con pianeti veloci (ad esempio un Saturno quadrato al Sole è importante per chiarire alcuni lati caratteriali di un soggetto).

In generale, muovendosi lentamente (da uno a tre anni), il segno nel quale cadono è meno significativo perché comune a molti nati nello stesso periodo, e ci dobbiamo concentrare invece più sulla casa (ne parlerò per bene nel capitolo 4). Quindi, se tutti i nati nel 1979 hanno Saturno in Vergine, ciascuno l'avrà in una specifica casa astrologica e da qui si trarranno delle considerazioni che andranno mischiate al valore di Saturno nell'intero tema natale e ai suoi aspetti rispetto agli altri pianeti. Per gli aspetti ci rivediamo nel capitolo 5, ma intanto metti questa info nella testolina, come la conserva di pomodoro per l'inverno.

COSA INDICA GIOVE IN UN TEMA NATALE?

La Morpurgo dice che «la tradizione lega Giove alla ricchezza e alla fortuna» e abbiamo imparato (vero?) che ogni simbolo astrologico va sviscerato come faremmo con un gamberone argentino extra large.

Giove è *simpatia e loquacità*, chi ha un bel Giove di nascita sa parlare bene e anche farsi volere bene, chiacchierando amabilmente e diplomaticamente. Soprattutto chi ha un Giove importante (mettiamo nella prima o nella decima casa) può diventare un demagogo o un politico. Un saputello insomma. È *ricchezza*, più materiale che morale. Chi ha un bel Giove difficilmente patirà la fame e dovrà fare i conti a metà mese con le bollette. Diciamo che gli viene bene attrarre ricchezze materiali... in particolar modo se Giove è nella seconda o nell'ottava casa, legate appunto al denaro. Chi ha Giove in quarta casa ha un buon punto di partenza economico dalla famiglia, mentre chi ce l'ha in settima combina un buon matrimonio.

Conseguenza immediata di questo, diciamo che chi ha un bel Giove si sa godere i piaceri, mentre chi ce l'ha leso è sempre in pena anche quando non ha nulla di cui preoccuparsi. Il *godimento* è Giove. Giove è poi *benessere fisico*, anche se più che alle energie dirompenti (che sono più di Marte e Mercurio) è un pianeta che ama la routine, la sicurezza (domina il segno del Toro), la *comodità* e il godimento di piaceri materiali, scontati ma sicuri. Insomma Giove non è un impavido, piuttosto un godereccio da gambe sotto al tavolo e cantina piena di vini. Chiaro?

Indica anche il *modo in cui prendiamo la vita*: chi ha un bel Giove la prende con ottimismo e fiducia, mentre chi non ce l'ha bello è sempre insicuro, timoroso, spesso attrae le sfortune e le ingigantisce perché non le sa affrontare con semplicità.

Qualsiasi sia la caratteristica principale di un tema natale, Giove indica la possibilità di inserimento felice nell'esistenza. Che tu sia un marziale estroverso e agguerrito o un lunare emotivo, se hai un bel Giove "te la vivi bene", come si dice a Milano.

QUANTO STA IN CIASCUN SEGNO?

Un annetto circa. Proprio per questo è il pianeta che viene preso in considerazione dagli astrologi ai quali si chiede quale sarà il segno fortunato dell'anno. Lo facciamo tutti, pur sapendo che stiamo dicendo una cosa superficiale (ma a una domanda superficiale non può che seguire una risposta superficiale, o no?). I segni con Giove a favore saranno i favoriti dell'anno, mentre quelli con Giove a sfavore dovranno stringere i denti.

COSA INDICA SATURNO IN UN TEMA NATALE?

Ussignur, lo so che sei già in ansia a leggere Saturno, ma sbagli. Te lo dice una che ha un Saturno solido nel suo tema natale e questo pianetone un po' bacchettone (diciamocelo dai, il divertimento è tutta un'altra storia!) può essere un ottimo alleato di vita.

La Morpurgo (sempre lei) l'ha spiegato benissimo e io così te lo riporto: «Saturno rappresenta la valutazione razionale di tutte le circostanze, in particolare delle circostanze negative (ti pareva!), per meglio organizzare la difesa dell'individuo». Bando quindi alla Luna con tutte le sue frivolezze emotive, bando alle passioni di Marte, con Saturno si ha la determinazione logica e concreta, il pessimismo di Murphy, il bisogno di certezze da "lo sapevo io" e "te l'avevo detto".

Saturno vuole stare rigido come una bambola nella sua scatola di plastica, si prende i suoi tempi (infiniti, non dimenticarti che Saturno è Kronos, dio del tempo e del giusto tempo, soprattutto) e decisamente meglio-solo-che-male-accompagnato.

In un tema natale Saturno indica quanto siamo *razionali*, *maturi*, coscienziosi ma anche *impauriti* e cacasotto. È un termine tecnico astrologico, cosa credi?!

Severi ma ambiziosi, perché chi ha un bel Saturno sa affrontare ogni sofferenza con stoicissimi denti stretti, ma alla fine quel risultato lo raggiunge, costi quel che costi. E quando lo avrà raggiunto vi dirà che se l'è sudato, perché a lui non gli regala mica niente nessuno. Saturno però punta in altissimo e ci tiene che tutti lo sappiano.

Ci dice anche quanto siamo *indipendenti* e autosufficienti. Quanto siamo stati *educati alle regole* dal papà (di solito il primo è lui, proprio come figura psicologica) e quindi quanto le sappiamo sopportare senza soffrirne nella vita di tutti i giorni. Dalle leggi alle regole civiche.

Per questo Saturno indica quanto siamo *fedeli*, affidabili e seri. Un buon Saturno però ci dà anche *ottima salute* fino alla vecchiaia. Saturno è l'anziano saggio e brontolone che guarda i cantieri, per intenderci.

QUANTO STA IN CIASCUN SEGNO?

Due anni e mezzo circa. Qui iniziano a essere molto importanti le soste, che possono durare anche un anno. Ogni sette anni circa abbiamo un Saturno che ci fa mettere in discussione, perché è il primo dei pianeti che davvero indica le fasi della nostra vita.

Urano, Nettuno e Plutone: i pianeti lenti

Oramai hai capito che io amo un astrologo sopra tutti gli altri: Marco Pesatori. Se hai tempo, dopo il mio libro leggiti tutti i suoi. Uno, bellissimo, è *Astrologia del Novecento* e si basa su una teoria astrologica importantissima. I tre pianeti lenti (Urano, Nettuno e Plutone) sono quelli che restano fuori dalla nostra sfera personale, nel senso che a renderli significativi nel nostro tema natale sono gli aspetti che formano con gli altri pianeti ed eventualmente la casa che occupano. Questi pianeti, proprio perché stanno tantissimo in un segno (da sette a oltre venti anni) condizionano tendenze e moti generazionali. Pesatori ha analizzato le tendenze sociali, politiche e culturali del Novecento partendo dalla posizione dei tre pianeti lenti. Bellissimo.

Lui stesso dice: «Quando un pianeta lentissimo cambia di segno annuncia un radicale mutamento nel sociale, nel costume, nell'immaginario collettivo, nel modo di vivere affetti, sentimenti, sessualità». Questo avviene anche a livello personale quando

un pianeta lento, muovendosi lungo il tema natale, cambia casa (e questa è una vera chicca).

Tutti e tre i pianeti lenti sono rivoluzionari e fortissimi, ma questo lo vedremo meglio nella seconda parte del libro, quando considereremo le influenze di questi pianeti in movimento, cioè durante la nostra vita, nei confronti dei nostri pianeti veloci.

COSA INDICA URANO IN UN TEMA NATALE?

Urano è un pianeta che porta distruzione, cambiamento, rivoluzione, decisione drastica e immediata, fattiva e cruda. È il colpo di genio, l'intuizione velocissima (la velocità è Urano) che non passa dalla logica ma dal lampo. È una forza dinamica e concreta, fisica e tagliente. È qui e ora, presente senza paura di slegarsi dal passato e di affrontare uno sconosciuto futuro. È fare adesso, l'immediato. Decidere velocemente e mettere in pratica. È un pianeta crudo e freddo, commerciale e impavido.

Ci dice quanto sappiamo *affrontare i cambiamenti* o quanto preferiamo stare comodi comodi a coltivare le nostre piccole abitudini e certezze, come i gerani sul balcone. Quanto siamo (e ci sentiamo) *scaltri*, di quelli che sanno cogliere l'attimo, saltare sul treno. Che ogni tanto diventa sfruttamento furbetto di situazioni e persone.

Quanto sappiamo usare le mani per risolvere. Quindi quanto siamo **problem solver**. L'hai letto *Lo zen e l'arte della manutenzione della motocicletta*? Ecco, Urano è il "pensiero classico", quello che se il rubinetto perde, ripara il rubinetto e non si lascia distrarre dal cadenzato rumore della goccia che cade. Quanto siamo **taglienti nell'esprimerci** e qualche volta insensibili di fronte alle emotività altrui. Urano dice e fa, senza preoccuparsi degli altri. Infine, ci dice quanto sappiamo essere autonomamente lontani dalle convenzioni e **geniali** nel pensare ogni cosa per la prima volta, da soli.

QUANTO STA IN CIASCUN SEGNO?

Urano sta in ogni segno all'incirca sette anni.

COSA INDICA NETTUNO IN UN TEMA NATALE?

Nettuno è il pianeta del movimento cosmico, dell'idealizzazione, della sensibilità creativa, della psicologia e della follia, della fuga dalla realtà concreta e materiale, dell'idea e della filosofia.

Non è un pianeta concreto come Urano e nemmeno viscerale e caldo come Plutone. Vaga nelle emozioni cosmiche, mistiche e religiose, alte e filosofiche. È il pianeta dell'idea e del principio che sta alla base e che dà significato alle operazioni in quanto cerimonie.

Dalla posizione di Nettuno possiamo capire se siamo *capaci di vivere i cambiamenti* e i mutamenti della vita; se *rifuggiamo dalla realtà*, trovando vie di fuga anche in droghe o psicosi, oppure se riusciamo a vivere la realtà come uno che galleggia sulle onde del mare. Da lui sappiamo se siamo *creativi e sensibili* oppure no, se diamo spazio ai nostri hobby (soprattutto di tipo intellettuale), se siamo capaci di vagare con il corpo ma in particolar modo con la mente creando *contatti umani* forti e profondi con chi ci circonda, senza alcun risvolto carnale o pratico ma semplicemente emotivo ed emozionale. Nettuno ci dice se usiamo *l'idealizzazione* per pensare grandi progetti oppure se ne siamo succubi, idealizzando l'irreale o chiudendoci in forme precostituite (magari anche dall'educazione o dallo status sociale) per esporci a delusioni e disillusioni.

QUANTO STA IN CIASCUN SEGNO?

A lungo, fino a quattordici anni circa.

COSA INDICA PLUTONE IN UN TEMA NATALE?

È il pianeta del generare, del creare e procreare. Erotico, ma la sua visceralità sensuale e caldissima, profonda e misteriosa, non è solo a livello sessuale. Rispetto a Marte, Plutone è una rivoluzione interiore. Se Marte è il fallo, Plutone è il seme. Chi ha un Plutone forte è una persona che segue il suo istinto più profondo e crea, genera. Chi ha un Plutone debole si sente spesso castrato e per questo vive nella ricerca costante della realizzazione di sé, per inseguire la quale si arruffa anche con nevrotiche esibizioni dell'io. Chi ha un Plutone leso è perennemente insoddisfatto e non riesce a cogliere la parte più profonda del proprio io, faticando a trovare la strada per rialzarsi. Chi invece ha un bel Plutone si rialza dalle ceneri sempre più forte, come l'araba fenice, e anzi nel crollo è potentissimo.

Dalla posizione di Plutone possiamo capire se siamo dei *passionali viscerali* che sentono le cose nello stomaco, se abbiamo una *sensualità profonda* e un erotismo carnale che non si esprime solamente a letto, ma in ogni aspetto della vita. Se e come sappiamo *rialzarci dalle nostre ceneri*, se sappiamo guardarci nel profondo senza paura, anche con chi ci sta vicino. Plutone è il pianeta della psicanalisi, ricordatelo! Ci dice anche che rapporto abbiamo con la morte – i plutonici sognano di essere dei becchini – e se ci piacciono o meno le *bugie*, i sotterfugi, i misteri e gli agenti segreti.

QUANTO STA IN CIASCUN SEGNO?

Anche venti anni. Mamma mia!

CAPITOLO 3

L'ASCENDENTE

CHE COS'È L'ASCENDENTE? LA PARTE TECNICA

Dato che l'Ascendente lo si prende davvero seriamente, ci tengo a spiegartelo per bene, con tanto di esempi tratti dal jet set internazionale. Per capirci meglio.

Adesso ti do alcune informazioni pratiche che sembrano buttate lì, ma se te le spiegassi tutte nei dettagli finirei di scrivere questo libro sull'orlo della pensione (e ho solo quarant'anni!).

L'Ascendente è *il punto di partenza del tema natale*. Il tema natale è un cerchio, ma da dove iniziamo a leggerlo? Dall'Ascendente. In senso antiorario (vedi disegno a pagina 11). Quindi l'Ascendente è il punto zero anche delle a dodici case nelle quali si divide il cerchio dello Zodiaco. Per questo, se non conosciamo il nostro Ascendente (perché magari non possiamo risalire all'ora di nascita), in realtà non possiamo nemmeno conoscere quale sia la suddivisione delle dodici case nel nostro tema natale. Per sapere che cosa comporta, leggi il prossimo capitolo.

Tecnicamente l'Ascendente indica l'intersezione dell'eclittica (la linea che segna il percorso immaginario del Sole intorno alla Terra) con l'orizzonte dell'osservatore. Praticamente l'incontro di cielo e terra. Questa spiegazione, tra le più chiare, l'ha scritta Howard Sasportas.

Le dodici case astrologiche segnano il percorso della Terra che ogni giorno ruota su se stessa di 360 gradi al centro del cerchio dello Zodiaco. Quindi, nell'arco delle ventiquattro ore, la Terra tocca tutti e dodici gli Ascendenti: ognuno dura circa due ore e per questo è importante conoscere l'ora di nascita più precisamente possibile.

L'Ascendente dà inizio alla prima delle dodici case (ci arriveremo, per adesso prendila così, come quando acquisti a febbraio le infradito e le lasci lì a defaticare in attesa dell'estate). È importante però sapere che se l'Ascendente (che NON è un pianeta, ma una POSIZIONE, questo era chiaro, no?) cade negli ultimi 3-4 gradi di un segno (e quindi quasi tutta la prima casa cade nel segno successivo) le caratteristiche del segno successivo hanno moltissima rilevanza. Io, addirittura, quando vedo un Ascendente dal grado 27 in poi, lo considero già del segno successivo: se cade a 28 gradi del Toro, io lo considero Ascendente Gemelli. In pratica: dire che abbiamo l'Ascendente nel segno dei Pesci, tecnicamente, significa che nel momento della nostra nascita la linea dell'orizzonte (l'est) era appoggiata sul segno dei Pesci nel cerchio dello Zodiaco.

Per l'Ascendente è importantissimo sapere non solo il segno in cui cade ma anche i gradi specifici. Questo ci serve per calcolare bene le influenze che hanno nell'oroscopo i transiti dei pianeti, soprattutto lenti e semilenti. Il famoso Saturno contro si può avere anche sull'Ascendente, ma per sapere quando lo si ha è necessario conoscere a quanti gradi del segno l'Ascendente cade.

Come si calcola l'Ascendente? Banalmente, con un software che trovi on-line gratuitamente ovunque.

Facciamo un esempio: diciamo che se tu hai il Sole nel segno dei Pesci (quindi, sei del segno dei Pesci) e sei nato intorno all'alba, in un preciso luogo, il tuo Sole e il tuo Ascendente cadono nello stesso segno. Mano a mano che ci si allontana dall'alba (momento nel quale Sole e Ascendente sono uniti) il Sole resta (quasi) fermo mentre l'Ascendente si muove cambiando segno ogni due ore. Quindi se alle 7 del mattino è nel segno dei Pesci, alle 9 sarà in Ariete, alle 11 in Toro e così via. Tieni conto anche dell'ora legale, ma l'intelligenza artificiale dei software che trovi on-line sa già tutto!

Per calcolare l'Ascendente sono fondamentali: data di nascita completa (non barare sull'anno!), città (nascere a Bergamo Alta o a NYC fa la differenza) e l'ora di nascita. Se questa cosa dell'oroscopo ti sta sfuggendo di mano, allora fai come me e vai all'anagrafe armata di santa pazienza e chiedi che ti stampino l'ESTRATTO di nascita (non il certificato, l'estratto). Costa 16 euro circa ma sono spesi bene.

Se vicino all'Ascendente (o subito prima, nella dodicesima casa, o subito dopo, nella prima casa) c'è un pianeta, quel pianeta diventa importantissimo e le sue caratteristiche risultano fondamentali per la persona stessa e per il suo carattere.

CHE COS'È L'ASCENDENTE? LA PARTE ASTROLOGICA

E adesso viene il bello. Una volta che ho scoperto qual è il mio Ascendente e pure in che gradi precisi precisi si trova, che ci faccio?

Ora te lo dico. Prendiamo sempre spunto più che altro da Sasportas che, secondo me, l'ha spiegato meglio di tutti: nascere significa iniziare, affrontare, mettersi in gioco. Come quando un calciatore entra in campo. L'Ascendente è ciò che rappresenta questa nascita, questo inizio, questo nostro presentarci al mondo e partire per il nostro viaggio. «L'Ascendente appare insieme a noi e le sue qualità riflettono sia chi siamo sia come affrontiamo la vita.»

L'Ascendente è *la parte più esterna di noi*, quella con la quale appariamo agli altri, quella che usiamo come filtro da noi verso il mondo ma anche - e qui le cose si complicano - dal mondo a noi.

La prima parte: l'Ascendente come filtro tra noi e il mondo. Un vestito, un modo di fare, un modo di porci e di mostrarci... come siamo fisicamente (questo punto addirittura permette ad alcuni astrologi di definire l'Ascendente dall'aspetto fisico, anche se secondo me è azzardato). Se sorridiamo o siamo silenziosi, se ci poniamo con superiorità, con umiltà, con empatia, con autorevolezza. Se "diamo l'impressione" (questo è un concetto chiave dell'Ascendente) di essere sicuri, insicuri, paurosi, coraggiosi, emotivi, aperti... Anche come viviamo la quotidianità: i nostri ritmi, le abitudini, la scrivania, l'arredamento di casa, cosa c'è nella nostra borsa. Tutto questo fa capo all'Ascendente.

Una cosa che non ti puoi scordare: **l'Ascendente è come siamo nei selfie su Instagram**. Anzi, facciamo un gioco: alla fine di questo capitolo guarda i selfie dei tuoi amici e delle celeb che segui su Instagram e indovinane l'Ascendente! Non vinci nulla, ma ti diverti!

La seconda parte: l'Ascendente come filtro dal mondo a noi. Se è vero che il segno indica all'Ascendente come affrontiamo la vita, il mondo inevitabilmente lo condiziona. Non dimenticarti che l'astrologia più di tutti rappresenta il mondo di ciascuno come una realtà percepita, prima che reale. Ma non corriamo!

L'Ascendente fa sì che vediamo la realtà con un filtro piuttosto che con un altro. In bianco e nero o con i colori accesi. Sempre Sasportas: «Rispecchiando l'immagine innata che abbiamo della vita, il segno all'Ascendente colora la nostra visione della realtà». Come se fosse una lente attraverso la quale vediamo il mondo.

... E adesso passiamo a Liz Greene: «Il Sole rappresenta il tipo di eroe che siamo, mentre l'Ascendente è la ricerca che dobbiamo intraprendere. Il Sole è la ragione per cui siamo qui, l'Ascendente è il modo per arrivarci». Difficile eh, lo so!

LA TEORIA DI GINNY: FARE PACE CON L'ASCENDENTE

Io, oramai lo sai, ho la Luna in Toro e la faccio facile, quindi beccati la mia teoria sull'Ascendente.
L'Ascendente è una parte di noi, ma è la più esterna. Noi conosciamo del nostro io le parti più profonde: la Luna con le sue passioni, gli istinti e le paure, il Sole, Venere che ci porta ad amare in un modo o in un altro, Marte con tutte le sue paranoie... invece spesso con questo Ascendente non andiamo d'accordo: non ci rappresenta, ce ne dimentichiamo, non lo integriamo davvero nella nostra personalità. Questo accade soprattutto quando l'Ascendente ha caratteristiche diverse da quelle che sono poi dentro di noi.
Ci dimentichiamo però che gli altri vedono e vivono l'Ascendente molto prima di arrivare a conoscere gli strati più profondi del nostro carattere. Come tutti gli intermediari, quindi, l'Ascendente è importantissimo: non affideremmo mai un messaggio essenziale a qualcuno che non conosciamo, giusto?
Ecco, è la stessa cosa. La sto facendo davvero facile, ma mi preme che tu capisca la funzione dell'Ascendente nella nostra vita.
Quindi: noi siamo felici quando facciamo pace con il nostro Ascendente, quando ne capiamo le caratteristiche, quando siamo consapevoli dei suoi pro e dei contro.
Se io ho l'Ascendente nel segno dei Pesci mi sarà molto difficile comandare o guidare un gruppo come se fossi un leader, in compenso riuscirò a creare fin da subito rapporti empatici, di fiducia e di emotività. Lo so e costruisco la mia vita su queste considerazioni, prestando il doppio dell'attenzione quando mi trovo a dover mostrare caratteristiche che non sono mie per natura.
Saperlo è già un ottimo risultato!
In fondo però, Sasportas (e rieccolo) non dice una cosa tanto diversa quando scrive: «Il segno all'Ascendente ci informa delle qualità che dovremmo consapevolmente sforzarci di manifestare nel processo di autoscoperta e sviluppo» oppure, «è sviluppando il segno all'Ascendente (e i pianeti della prima casa) che diverremo più consapevoli non solo di quello che siamo in quanto individui unici, ma anche del nostro rapporto con il grande insieme di cui siamo parte».

ARIETE

Rihanna è del segno dei Pesci ma con l'Ascendente Ariete: a guardarla dritto negli occhi c'è da avere paura. E quando cammina, la terra trema. L'indipendenza è portata avanti come la bandiera nazionale alle Olimpiadi.

È un buon Ascendente: mandando la prima casa nel primo segno (l'Ariete, appunto) mette tutto in equilibrio, ciascuna casa cade nel suo segno e sta serena.

La donna con l'Ascendente Ariete incede tacchettando e sembra essere seguita da un plotone intero, come tua sorella quando ti beccava ad averle rubato un vestito e veniva in camera tua a riprenderselo. Di solito è rapido nei movimenti, impulsivo, sembra incazzato anche se non lo è. Deciso, determinato, schietto e spesso fendente nel dire le cose (non dimenticarti che questo segno è legato a tutte le armi da fuoco e da taglio), ha un approccio "maschile" (nel senso archetipico del termine) alla vita e all'immagine. Prepotente (te ne accorgerai se ci litighi), intransigente nell'ottenere ciò che vuole in fretta: la vita è una sfida, una lotta, un incontro di box.

L'Ascendente Ariete non te le manda a dire, ti spiattella la sua idea senza imbellettarla e se per qualsiasi motivo deve trattenersi dall'urlarti (urla-

re gli piace tanto, chiedere consigli meno) in faccia quello che pensa, urlare gli piace tanto, chiedere consigli meno, gli appare comunque scritto in fronte al neon: senza giri di parole o doppi sensi.

Il rosso (anche nel make up o nei vestiti) e i tacchi alti sono le uniche civettuolerie che ama concedersi, mentre di solito lo stile militare e spartano lo caratterizzano. Non per Rihanna, che ha Venere (la bellezza) congiunta all'Ascendente e la rende una trend setter da tenere d'occhio.

L'Ascendente Ariete spesso appare sportivo, raramente riflessivo (a meno che abbia tutti segni d'acqua nel tema), decisamente poco emotivo.

Di lui ci si fida, ma non è la persona giusta a cui dichiarare un'insicurezza perché non sembra averne mai. Ha più l'aria della nonna che ci tira dietro la ciabatta, non dell'amica a cui piangere sulla spalla.

Il bello di questo Ascendente è che appare limpido e testardamente pulito, ma diretto e semplice.

Il selfie: Si fa senza tante storie e senza tante prove. Buona la prima insomma. E occhi dritti alla fotocamera. Ah, senza filtri, mi raccomando.

La cosa più difficile per me è rifiutare, mi sento una stronza, ma a volte non ho altra scelta.

Rihanna

TORO

Pensa a Michelle Hunziker: il bello dell'Ascendente Toro è che ti mette subito a tuo agio e ti viene voglia di toglierti le scarpe e sederti con lui sul divano a bere la tisana. Anzi, non una tisana, un bel bicchiere di rosso!

Si abbandona la fretta e la decisione dell'Ariete per la calma, spesso talmente tanta calma da diventare pigrizia! Le cose si fanno per benino e con il loro tempo. L'Ascendente Toro è spesso in ritardo perché cincischia e, soprattutto, canta mentre si prepara. Il canto è il suo forte.

Qui abbiamo a che fare con la morbidezza: dei tempi, dei modi e delle forme. Anzi, è solo grazie alla Luna in Ariete che Michelle non ha il culone, perché tra l'Ascendente Toro (che dona forme sinuose e femminili alle sue donne) e Giove che vi è congiunto, la linea avrebbe potuto essere uno dei suoi problemi. Fortunella!

Per un Ascendente Toro è davvero naturale coinvolgere le persone che conosce, anche da poco tempo, nella sua routine e nelle sue abitudini: se ti invita a cena ti tocca sparecchiare e grattugiare il parmigiano per tutti.

L'Ascendente Toro sorride tanto e abbraccia for-

te: è comunque un segno di terra pratico e concreto anche nei modi. Le paranoie se le fa, ma vuole soluzioni pratiche e immediate. È così e te lo mostra, se ti va bene prendi un bicchiere e siediti a tavola, se no ciao. Questo il sunto.

L'Ascendente Toro è bello (è dominato da Venere): ama imbellettarsi, profumarsi, acconciarsi, bagnare le piante modello savana in salotto e arredare la casa con un sacco di colori. Si dà da fare senza indugio ma i risultati devono essere concretamente tangibili: quindi sì all'orto e alla pedicure, no allo studio troppo approfondito delle filosofie orientali e allo yoga meditativo.

L'emotività ha lasciato il posto alla gelosia, coltivata come l'edera rampicante.

Il selfie: Con il sorrisone e il décolleté bene in mostra.

Emozionarsi sempre.

Michelle Hunziker

GEMELLI

Se sei un tipo calmo, le persone con l'Ascendente nel segno dei Gemelli ti faranno venire i nervi. Qui si ha a che fare con individui che non sanno stare fermi: le cene di Natale con le gambe sotto al tavolo per cinque ore di fila sono praticamente una tortura. Ah, non sanno nemmeno stare zitti. E questa è una tortura per tutto il resto del mondo.

L'Ascendente Gemelli deve necessariamente comunicare a qualsiasi ora del giorno e della notte, con qualsiasi mezzo di comunicazione, su qualsiasi argomento (anche quelli che non conosce) e di solito lo fa saltellando sul posto.

Affronta la vita con la voglia di conoscere, capire, provare. Con un Ascendente Gemelli nulla viene dato per impossibile e soprattutto nulla resta intentato. Certo, dato che questo è l'Ascendente degli eterni Peter Pan, sarà facile che spesso si abbia a che fare con delle idee assurde e rovinosamente infattibili ma, proprio come agli adolescenti, fargli cambiare idea sarà impossibile.

Sorridenti, vivaci, energici e iperattivi, chiacchieroni, curiosi, la vita per un Ascendente Gemelli è un gioco, anzi meglio una montagna russa dove la velocità non fa alcuna paura.

Tipico delle persone con questo Ascendente è sembrare sempre dei ragazzini e avere un'agilità nevrotica che però aiuta a mantenersi in forma. Sarah Jessica Parker in questo è un esempio! Poi, con un Ascendente Gemelli ci si diverte sempre e si ha un sacco di voglia di uscire a bere e ballare sui tavoli, meno di dilungarsi in confidenze sentimentali...

Che l'Ascendente Gemelli si sente sempre molto ma molto più giovane di quanto non sia, lo dimostra anche nell'abbigliamento: via libera a chiodo di pelle, jeans dal sapore di libertà in tutte le forme e tutù anche dopo i quaranta. Sempre Sarah Jessica docet!

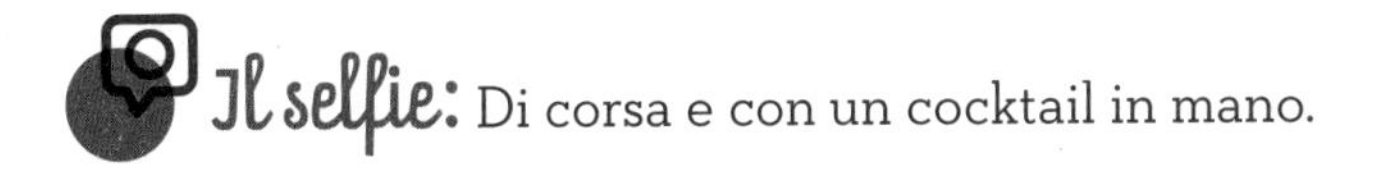

Il selfie: Di corsa e con un cocktail in mano.

Stare meglio di quanto non ti sia dato
è una grande sfida.

Sarah Jessica Parker

CANCRO

Il Cancro tra tutti e dodici è il segno più emotivo dello Zodiaco. In questo caso però, considerando che l'Ascendente è la parte del nostro io che sta più a contatto con il mondo, la sensibilità dell'Ascendente Cancro diventa complicata da gestire. Come quando andiamo a prendere il sole per la prima volta e ci piazziamo bianchi sotto il sole di mezzogiorno cosparsi di olio ultrabbronzante. Ci scottiamo. Ecco, l'Ascendente Cancro ha paura di scottarsi perché la sua emotività è senza protezione.

Quindi, proprio come il granchio, l'Ascendente Cancro si mette una corazza addosso modello maxi piumino anche ad agosto ed evita di sorridere troppo, di guardarti negli occhi, di lasciarti intravedere la sensibilità che lo scuote dietro. Tiene spesso le braccia conserte e se può si mostra scocciato. Praticamente con un Ascendente Cancro (a meno che dietro non ci siano tanti pianeti in segni molto socievoli) c'è una durissima selezione all'ingresso!

Pensa a **Julia Roberts** che, pur essendo una delle regine dei red carpet, sembra sempre capitata lì per caso e anche un po' intimidita da tutti quei fotografi.

Con un Ascendente Cancro si ha l'impressione che la sua vita familiare (ma vale anche per i colle-

ghi d'ufficio o gli amici stretti) sia un terreno protetto come un'oasi del WWF, dove tutti sono tutelati come piccoli panda e nel frigo c'è sempre una scorta di bambù, e soprattutto che sia lo stesso Ascendente Cancro a mantenere l'armonia e il microclima in quest'oasi. Di contro, se non ne fai parte fatti tuoi, lui sta alla porta e non apre. Serve la parola d'ordine!

L'Ascendente Cancro sarà felice quando capirà che la sua emotività è un dono prezioso e non una cosa da nascondere come la cellulite. Fortissimo nel ruolo materno, nelle coccole e negli abbracci, nel preparare dolci e anche nel mangiarli.

Che poi, chi ha l'Ascendente Cancro ha la settima casa in Capricorno, quindi sembra un cucciolo impaurito davanti ai fari dell'auto, ma in amore tira fuori gli artigli che saranno anche da cucciolo, ma di tigre!!!

Di solito queste persone hanno un sorriso timido, ma un décolleté da paura. Di solito, eh!

Il selfie: Con gli occhi bassi e i capelli davanti agli occhi. E le braccia attorcigliate su se stessi, modello stringa di liquirizia.

Il vero amore non arriva da noi, il vero amore si trova dentro di noi.

Julia Roberts

LEONE

Il Leone è un re e ci tiene a dimostrarlo, e figuriamoci quando è all'Ascendente, quindi proprio nella parte più appariscente dell'individuo. Siamo finiti, tocca inginocchiarsi.

L'Ascendente Leone è magnetico, sembra che le energie non gli manchino mai e ci chiediamo ogni tanto dove sia il pulsante per spegnerlo. Adora, anzi esige, stare sul palco e, se possibile, con un microfono in mano, un occhio di bue puntato addosso e almeno un paio d'ore di trucco e parrucco alle spalle!

Il suo modo di porsi nella vita è deciso, irruento, caloroso e focoso (è un segno di fuoco, d'altro canto!), egocentrico e spavaldo, forte e fiero.

Cammina a testa alta, incede con falcate alla Naomi sulle passerelle, scuote la chioma come Pamelona Anderson quando usciva dall'acqua con il costume rosso e soprattutto sorride alla vita. Almeno finché crede tu gli dia il giusto riconoscimento da star che merita, perché quando (e se) non lo farai, si mostrerà scocciato e partiranno frecciatine avvelenate.

Se dovessi essere invitato a casa di un Ascendente Leone preparati a entrare in una reggia nella quale sarai coccolato con tutti gli onori fin da quando esci dall'ascensore: il Leone è re e il re è ospitale con la sua corte.

Ovviamente, dato che per gli esempi di questo libro pesco nei personaggi famosi, di Ascendente Leone ne ho trovati tantissimi, essendo questi disinibiti sul palco e pronti a tutto per i loro quindici minuti di fama. Tra tutte, ero indecisa tra Kate Middleton e **Tina Turner**, ma alla fine ho scelto la seconda, perché le sue energie sono da vera Leonessa (te la ricordi sul palco quando canta *Simply The Best*?).

Il selfie: Con i capelli a posto, a qualsiasi costo.

Ognuno di noi ha un pezzettino di Dio dentro di sé che aspetta solo di essere scoperto.

Tina Turner

VERGINE

Ricordati una cosa: la vera maniaca dell'ordine e della perfezione non è la Vergine, ma l'Ascendente Vergine. Chi ha questo Ascendente lo becchi subito, al primo sguardo. Non un capello fuori posto, rossetto rosso perfetto, tutto in ordine come dovrebbe, sempre puntualissimo. Scocciato se tu arrivi in ritardo, se dici castronerie creative di dubbia fondatezza scientifica o se non hai la camicia stirata. Se poi, disgraziatamente, a casa sua dovessi mettere qualcosa fuori posto, non potrebbe resistere dall'esplodere in un cazziatone modello mamma quando ti mettevi le dita nel naso. Tu, perché l'Ascendente Vergine le dita nel naso non se le è mai messe, nemmeno a quattro anni, quando già spruzzava l'antigermi sullo scivolo.

L'Ascendente Vergine è un vero *problem solver* ma decisamente poco sciolto, poco naturale nel modo di porsi (a meno che, ovviamente, il resto del tema natale non abbia un eccesso di acqua). Pensa a **Emma Watson** (Hermione nei film della saga *Harry Potter*): quante volte l'hai vista sorridere morbida e sexy sul red carpet? Mai! Ecco hai capito.

Se hai l'impressione che l'Ascendente Vergine abbia un certo cinico disincanto che sfocia in pes-

simismo nel prendere la vita, sappi che non è solamente un'impressione!

Sarà felice quando imparerà a sfruttare quella sua caratteristica di risultare affidabile anche senza bisogno di controllo. Del tipo che gli daresti la password dell'home banking anche dopo mezz'ora che l'hai conosciuto. A quel punto la Vergine si godrà davvero la vita e andrà serena via prima dall'ufficio per stirarsi le lenzuola in santa pace!

Il selfie: Prima di farlo, studia il decalogo del selfista perfetto. E comunque ha da ridire. Se la tagghi senza la sua approvazione è guerra aperta!

Sono una vera perfezionista, sono la più dura critica di me stessa. Ho sempre voglia di fare meglio.

Emma Watson

BILANCIA

Nel caso dell'Ascendente Bilancia devo fare lo stesso preambolo che ho fatto per l'Ascendente Ariete, ma al contrario. In questo caso, quindi, essendo la Bilancia il segno che sta a metà dello Zodiaco, se cade all'Ascendente ribalta la ruota zodiacale di 180 gradi, quindi succede che ogni casa capita (di solito!) nel segno che ha caratteristiche opposte a essa. Per esempio, la quarta casa (casa della famiglia e del nido) cade in Capricorno (segno dell'indipendenza fredda). Il risultato, in parole povere, è che spesso chi ha questo Ascendente è perennemente insoddisfatto e affronta ogni ambito della vita con valori opposti a esso.

Se, abbiamo detto in principio, l'Ascendente indica il modo in cui affrontiamo la vita, in cui ci poniamo nei confronti degli inizi, ecco qui abbiamo un problema. Perché questo Ascendente è il compromesso, il dubbio, il senso del dovere che si frappone tra te e il piacere per eccellenza. Chi ha questo Ascendente vorrebbe che tutti fossero sempre felici e odia rischiare, odia dire la sua, odia prendere una posizione netta. È il rovescio della medaglia dell'avere un senso dell'armonia e della simmetria senza paragoni cosmici.

Come tutti gli Ascendenti in segni d'aria anche questo è molto sociale, e qui per sociale s'intende il bisogno di far stare bene tutte le persone che ha intorno (a meno di non avere nel tema natale tanti pianeti in segni di fuoco, *ça va sans dire*!).

L'Ascendente Bilancia comunque sarà sempre bellissimo, (Beyoncé insegna) quella Venere sprigiona una femminilità elegante senza paragoni, anche negli uomini! Sarà quello meglio vestito ai matrimoni, quello con l'abbinamento più perfettissimo e soprattutto con la casa arredata con più gusto. Ogni tanto in modo ossessivo. Non c'è storia.

Infine, diciamo pure che se c'è un Ascendente che cede più volentieri all'attrazione del bisturi è proprio l'Ascendente Bilancia... perché quando la perfezione della bellezza diventa un'ossessione, un ritocchino è più ambito di un diamante!

Il selfie: Ne fa centomila prima di trovare quello decente al quale, comunque, mette il filtro!

Non mi piace giocare d'azzardo, ma se c'è una cosa sulla quale potrei scommettere quella sono io.

Beyoncé

SCORPIONE

Avere a che fare con un Ascendente Scorpione non è per niente facile. Né per lui né per gli altri. Lo Scorpione è il segno delle profondità, del buio, delle paranoie e del subconscio, con tutto quello che ne deriva. Quando queste caratteristiche sono nell'Ascendente significa che penetrare questa figura è praticamente impossibile. Un Ascendente Scorpione ti guarda sempre con gli occhi fissi, lo sguardo fiero e insondabile, le labbra serrate e un'aria da chi sta pensando al modo migliore per ucciderti. Come dire, incute un certo timore. Sono proprio gli occhi il suo tratto saliente: vivi e penetranti. Sembra sempre che ti stia leggendo fin dentro le budella e che tu non gli possa davvero nascondere nulla. Un Ascendente Scorpione sa, anche prima di te. Ma sta bluffando, sappilo!

Pensa ad **Hillary Clinton** ma anche a Putin, Lenin, Mussolini, la Thatcher. Avere l'Ascendente Scorpione è utilissimo se fai il politico o il giocatore d'azzardo perché il bluff, appunto, sarà il tuo mestiere e nessuno si prenderà certe confidenze da briscola al bar. Mai!

Detto tutto questo non ti stupirai del fatto che il modo di prendere la vita di un Ascendente Scorpione sia tutt'altro che leggero. Vuole leggerti dentro e le informazioni che capta diventano materiale di paranoie, stratagemmi, infinite rivoluzioni dei suoi pensieri che tu, umano, non potrai nemmeno immaginare.

Un Ascendente Scorpione non la fa facile, mai, e se tu glielo fai notare con una scenata drammatica ti dirà che sei un superficiale e scenderà dalla macchina sbattendo la portiera, anche se siete in autobus! Sappi che il drama qui è all'ordine del giorno. Un Ascendente Scorpione ha provato e riprovato a casa decine di volte le scene madri dei Blockbuster di tutti i tempi.

Il bello di chi ha questo Ascendente è che sarà sexy anche con il camice per fare la tinta dal parrucchiere. È sexy nell'intimo, insomma (e avrà sempre un intimo da paura!), e tutto questo mistero del quale si circonda attizza parecchio! Quando avrà capito questo e soprattutto sarà riuscito a dirigere tutto il suo tormento verso uno sfogo creativo, saremo a cavallo.

Il selfie: Lo fa, ma lui non c'è e se c'è sta facendo lo sguardo da fatalona che te se magna in un sol boccone!

Il mio più grande difetto? Mi appassiono troppo a ciò che considero giusto.

Hillary Clinton

SAGITTARIO

Se hai a che fare con un Ascendente Sagittario preparati a liti furibonde. Chi ce l'ha ha anche la certezza matematica di sapere tutto, saper fare tutto, prevedere tutto quasi fosse il back office del santissimo in persona. Si ha a che fare con un segno di fuoco che ha Giove (la parola, la sicurezza) come pianeta dominante. Il suo modo di porsi è del modello siediti-che-adesso-ti-spiego. Di solito insopportabile! Se non fosse che spesso possiamo farlo felice dandogliela vinta, lasciandolo fare e soprattutto andandocene a prendere il sole in santa pace mentre "ci pensa lui". Così, forse, siamo felici in due!

L'Ascendente Sagittario parla tantissimo, gesticola anche con le orecchie, molte volte è fuori luogo e non ha tempo di accorgersene perché sta già pensando alla cosa da dire dopo. E se glielo fai notare diventa subito permaloso.

La cosa bella è che, sempre grazie a Giove ma anche un po' con il benestare di Nettuno, l'Ascendente Sagittario è cittadino del mondo. Ancora più del Sagittario stesso. Ha la valigia sempre pronta e più timbri sul passaporto di un pacco postale dall'Australia passato per sbaglio in Sudafrica. Per ricordarti questo concetto ho pensato che l'esempio perfetto di Ascendente Sagittario fosse **Paris Hilton**. Che si chiama Paris, appunto!

Prende la vita in maniera fiduciosa e baldanzosa, spesso idealista e sopra le sue reali possibilità, e solo qualche volta (quando ci sono tanti pianeti di terra nel tema natale) si rischia di restare troppo fermi per paura di sbagliare.

L'Ascendente Sagittario è felice quando si rende conto che mostrarsi sicuri di sé non significa avere sempre la risposta giusta. Che comunque ha, spesso!

Fisicamente qui dipende se vince Giove o la voglia di muovere le chiappette. Se vince Giove il Sagittario in questione è rotondetto, altrimenti avrà delle muscolosissime gambe da trekking d'altura!

Il selfie: Sempre in un posto diverso, con un piatto strano davanti e soprattutto geolocalizzato!

In realtà non ci penso, cammino e basta.

Paris Hilton

CAPRICORNO

Se ti dovessi trovare a fare un lungo viaggio con un Ascendente Capricorno portati da leggere perché qui il silenzio, la riservatezza e l'indifferenza fredda e qualche volta altezzosa sono i tratti principali. Almeno all'apparenza. Non aspettarti un giocoso pomeriggio di chiacchiere e confidenze, a meno che il resto del suo tema natale non dica tutt'altro! Cioè, diciamocelo, anche se con Monica Bellucci un viaggio se lo farebbero volentieri in molti, non è che proprio ispiri un senso di sconfinata e dolcissima empatia. No???

Se dovesse venirti in mente di abbracciare un Ascendente Capricorno senza averglielo chiesto prima tieniti pronto, perché potrebbe essere circondato da un filo invisibile spinato ed elettrificato, e tu potresti rimanere fulminato. Ma sarebbe un problema tuo, dato che sei entrato nella sua proprietà con le tue manacce!

Qui si ha a che fare con un Ascendente che vuole essere concentrato, "sul pezzo" insomma, teso al risultato senza perdere tempo in frivolezze. L'Ascendente Capricorno organizza, si dà da fare, fa più degli altri perché ritiene che gli altri siano incapaci (o almeno non bravi come lui!). La sua vita è quindi intensa e l'agenda fitta come quella di Melania Trump perché l'ozio non è contemplato.

Disciplina e controllo, rigore e indipendenza, questo è quello che comunicano gli Ascendenti Capricorno ed è il filtro attraverso il quale guardano alla vita. L'Ascendente Capricorno si darà un po' di pace (forse!) solo quando sarà riuscito da solo a ottenere ciò a cui ambisce. A quel punto potrà rilassarsi un pochetto anche se, per nessun motivo, si dimenticherà di sfoggiare come un trofeo i suoi risultati.

L'Ascendente Capricorno è massiccio anche fisicamente, di quelli che sembrano poter sopportare qualsiasi fatica senza nemmeno sudare.

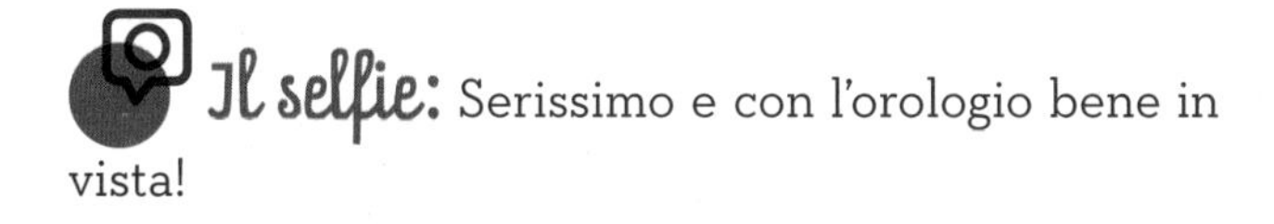

Il selfie: Serissimo e con l'orologio bene in vista!

Invecchiare fa paura a tutti, ma è l'unico modo per vivere a lungo.

Monica Bellucci

ACQUARIO

L'Ascendente Acquario sembra sempre cadere in piedi. Sembra che nulla possa turbarlo, che quello che a te sconquassa l'anima e ti tiene senza cibo e senza acqua per giorni per lui si risolva con una scrollata di spalle e un aperitivo. Ricordati, è spesso solo un'impressione.

L'Ascendente Acquario appare praticamente impermeabile agli sbattimenti. Dovunque tu lo metta lui troverà un modo per sopravvivere, soprattutto perché ha un'autonomia di due anni o centomilioni di chilometri, come le navicelle spaziali! Il suo habitat ideale comunque sono le feste: da quelle di compleanno (non sue, però) a quelle di paese è sempre il re, conosce tutti, abbraccia tutti (non come l'Ascendente Capricorno di sopra!), versa da bere anche se il vino non l'ha portato lui e alla fine torna a casa con un sacco di numeri di telefono e nuovi amici.

L'Ascendente Acquario la regola la sa, ma di solito la vuole trasgredire: questo fa doppiamente incazzare chi invece alle regole ci tiene, perché non si ha a che fare con un ragazzino ribelle, ma con uno che consapevolmente si oppone, sempre e comunque. E di solito lo fa anche abbastanza bene. Vale per le mode, le tendenze, le abitudini e le formalità. Sui legami poi, non ne parliamo. Per questo motivo gli Ascendente Acquario sono spesso dei creativi innovatori!

L'Ascendente Acquario si presenta come uno scaltro al quale le fortune piovono addosso come cacche di piccione, ma che ha messo da parte l'ego (quindi non ve lo fa pesare) a favore del piacere di condividere: l'egualitarismo e la comunione sono i suoi tratti fondamentali. Amico di tutti, si fa portavoce di ogni battaglia sociale nell'arco dell'intero pianeta. Alla galassia non ci è ancora arrivato ma ci sta lavorando. Pensa a **Christina Aguilera**, che è famosa per le decine di battaglie umanitarie che hanno coinvolto tutti gli amici del jet set!

Il selfie: Sempre abbracciato agli amici, anche a quelli che ancora non lo sono (perché neanche li conosce) ma che sicuramente lo diventeranno prestissimo.

La moda è uno stile di vita, è una scelta, è libertà d'espressione.

Christina Aguilera

PESCI

Con l'Ascendente Pesci le cose non sono facilissime. Qui abbiamo a che fare con il segno più irreale dello Zodiaco, che deve avere a che fare con la realtà nella sua funzione di Ascendente. Se dietro non c'è un numero sufficiente di pianeti in segni di terra a tenerlo su come un ponteggio, siamo messi male!

In pratica: qualsiasi forma prenda l'Ascendente Pesci, non sarà banale. Che sia una vittima sacrificale ipocondriaca nei confronti della vita, un artista o un guaritore magico, siamo davanti a una ipersensibilità del reale. L'ego, anche nella vittima, viene messo sostanzialmente nello sgabuzzino delle scope: all'Ascendente Pesci la si fa come si vuole. E io, che già sono credibile, in questo caso lo sono ancora di più, visto che Pesci è anche il mio Ascendente!

L'Ascendente Pesci si approccia alla vita come a un romanzo rosa: credendoci tantissimo. Il punto è che continua a crederci anche quando la vita gli spiattella davanti una verità che non era quella che si era immaginato. Come dire: non ci vede, non ci sente e a dirla tutta non si orienta nemmeno benissimo. In compenso nessuno crede ai sogni e schifa la realtà come lui. Qui siamo nel regno dove tutto è possibile e dove la magia è dietro l'angolo. Di contro,

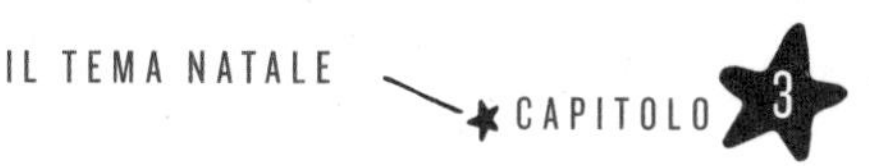

le bollette restano nella casetta della posta. Anzi, bollette? Quali bollette???

L'Ascendente Pesci sarà felice quando si rassegnerà all'idea di dover fare fatica per essere preso sul serio, ma si godrà quel dono magico dell'empatia molto oltre il livello normale, praticamente quando saprà sfruttare il suo essere un po' Cappuccetto rosso che chiacchiera col lupo nel bosco e un po' stordita, come appare Gwyneth Paltrow! Però un Ascendente Pesci, se consapevole, potrebbe davvero guidare le folle. Ma non lo farà mai, perché gli viene l'ansia!

Ah, oltre agli occhi languidi da labrador davanti al camino, ha anche la ritenzione idrica. E cammina scalzo.

Il selfie: Con gli occhi a cuore e il sorrisone.

Penso che dovremmo amarci segretamente e lasciare le cose come stanno.

Gwyneth Paltrow

PIANETI CONGIUNTI O OPPOSTI ALL'ASCENDENTE

Ogni pianeta che sia congiunto all'Ascendente diventa importantissimo per tutto il tema natale nel senso che colora di sé tutta la personalità del soggetto. Anzi, il pianeta congiunto all'Ascendente caratterizza fortemente il modo di porsi in società della persona: un Marte congiunto all'Ascendente è tipico di persone sportive o marziali, un Giove di persone che usano molto bene la parola, e così via.

Di contro, con i pianeti opposti all'Ascendente ci dobbiamo fare i conti: le loro caratteristiche sono in netto contrasto e creano problemi al nostro modo di porci. Un Marte opposto all'Ascendente porta ad aggressività difensiva, una Venere opposta all'Ascendente invece difficoltà nell'accettarsi oppure nel trovare il giusto equilibrio nei rapporti con la società che ci circonda. Se l'Ascendente è il nostro io pubblico, allora i pianeti che gli sono opposti creano un problema al nostro modo naturale e pubblico di vivere la qualità che rappresentano.

QUANDO SOLE E ASCENDENTE SONO CONGIUNTI

Succede poi spesso che Sole e Ascendente siano congiunti. Ovvero, la personalità più profonda e la personalità pubblica, quella che ha a che fare con il resto del mondo.

Sarebbe bene se tra i due, Sole e Ascendente, ci fosse una dialettica anche per dare a un Io un contraltare, un contrappeso di valori.

Tuttavia capita di frequente che Sole e Ascendente siano nello stesso segno. In questo caso bisogna ben dividere tra il Sole che cade nella dodicesima o nella prima casa. Il Sole in dodicesima è più insicuro ma anche morbido e meditativo rispetto al Sole che cade nella prima casa (in esaltazione quindi), molto più forte, sicuro di sé e diretto.

È ovvio anche che il segno zodiacale di cui parliamo fa molto la differenza, ma in generale si può dire che quando Sole e Ascendente cadono nello stesso segno si ha una personalità più schietta e diretta, più sicura di sé e meno strategica, meno raffinata nel pensiero. Il non avere filtri qui può essere un non avere diversi strati della personalità, come è comune nella nostra dinamica personale. In qualche modo Ascendente e Sole nello stesso segno indicano una sorta di acerbità e immaturità relazionale, una sorta di intransigenza. Tuttavia, come ricorda sempre Pesatori, una forte presenza di un singolo segno fa tendere inevitabilmente verso il suo opposto: se già la settima casa, opposta all'Ascendente, indica le caratteristiche che cerchiamo in un compagno, in questo caso ancora di più la tensione verso la settima casa e il suo segno è forte.

CAPITOLO 4

LE CASE ASTROLOGICHE

Eccoci qua, a questo punto dovresti avere chiari i simboli legati ai dodici segni zodiacali, quali caratteristiche far risalire a ciascuno dei dieci pianeti e che funzione ha l'Ascendente. Pronto per il grande salto? Studiando bene questo capitolo sulle case, passerai da essere uno che di astrologia qualche cosa ne sa al grado ufficialmente riconosciuto (da me) di "assistente astrologa con ampi margini di miglioramento". Un grande risultato, quindi attenzione.

Nel capitolo sull'Ascendente abbiamo detto che la riga dell'Ascendente dà anche il via alla lettura del tema natale; è praticamente il punto zero del cerchio dello Zodiaco che si legge, oramai lo sai, in senso antiorario. Questo cerchio dello Zodiaco è diviso in dodici parti da 30 gradi ciascuno, che sono i dodici segni zodiacali, e in dodici spicchi di gradazioni differenti (sia tra loro sia in ciascun tema natale) la cui ampiezza deriva dal luogo e dal periodo di nascita. Se fossimo nati all'Equatore (dove la durata del giorno è uguale a quella della notte) i dodici spicchi avrebbero tutti la stessa grandezza. Questi dodici spicchi sono le dodici case astrologiche.

Quindi, i dieci pianeti che cadono all'interno del nostro tema natale cadono ciascuno in un segno e in una casa.

Chiaramente chi non conosce il proprio Ascendente non può nemmeno sapere quale sia la suddivisione delle case astrologiche perché non riesce a identificare il punto zero, il punto di partenza del suo tema natale. In questo caso quindi i pianeti verranno considerati solamente per il segno zodiacale nel quale cadono.

CHE COSA SONO QUESTE BENEDETTE CASE ASTROLOGICHE?

Cito ancora Sasportas, che mi piace assai: «I pianeti mostrano *ciò che* avviene, i segni *come* avviene e le case *dove* avviene» o ancora, la Morpurgo (sempre sia lodata!): «Le case rappresentano la simbologia quotidiana dello Zodiaco e servono a indicare l'ambito particolare in cui il Sistema solare eserciterà la sua influenza su una singola persona».

La suddivisione del cerchio dello Zodiaco anche nelle dodici case astrologiche è stata realizzata perché, se la scansione nei dodici segni indica il susseguirsi del tempo (e delle stagioni) lungo un anno (il percorso del Sole lungo il cerchio dello Zodiaco), allora è bene considerare anche il movimento giornaliero della Terra su se stessa, la rotazione intorno al proprio asse. In base a questo, il Sole impiega ventiquattro ore a fare il giro completo delle dodici case.

In pratica, il pianeta nel nostro tema natale indica una caratteristica, una qualità. In base al segno dove cade il pianeta, quella qualità si manifesta in noi con modalità, valori, tendenze diverse. Dice Rudhyar che i segni e i pianeti in una casa suggeriscono il modo migliore e più naturale in cui dovremmo affrontare quell'area della vita per rivelare e porre in essere le nostre intrinseche potenzialità. I pianeti e i segni in una casa indicano come noi abbiamo percepito l'ambito che la casa rappresenta.

Facciamo un esempio, perché mi rendo conto che non è proprio semplicissimo: Venere indica il nostro modo di amare. Se cade in Toro il nostro modo di amare avrà delle qualità, delle modalità differenti rispetto a quando Venere cade nel segno dell'Acquario. Allo stesso modo sarà diverso se Venere cade nella seconda casa o nella sesta. La casa determina l'ambito nel quale l'azione (di amare, nel caso di Venere) appare più evidente. Nel territorio circostante, nel caso della seconda casa; sul lavoro, nel caso della sesta. Sto banalizzando e la Morpurgo di cui sopra si sta dando una grattatina di capo nella tomba, ma è per capirci meglio fin che si può. Comunque lei, donna del Toro, avrebbe apprezzato l'assenza di fronzoli!

Quando usiamo l'astrologia come linguaggio previsionale, non possiamo dimenticare che «le case sono state la struttura di riferimento attraverso cui le potenzialità della combinazione di un pianeta con un segno potevano essere associate agli avvenimenti e alle faccende reali della vita». Questo l'ha detto Dane Rudhyar, un figo (in senso astrologico)! In generale, lo ripeto con le parole del mio amico Sasportas, così stiamo tranquilli, «le case mostrano le aree specifiche dell'esperienza quotidiana attraverso cui si manifestano le operazioni dei segni e dei pianeti».

Le dodici case a loro volta sono suddivise in quattro parti di tre case ciascuna. La prima casa di ciascuna delle quattro parti ha un valore più forte. Sono quindi la prima casa, la quarta, la settima e la decima, dette anche **case angolari** e che di norma sono indicate con numeri romani. Le cuspidi di queste quattro case (cioè le linee che determinano l'inizio della casa) sono posizioni importanti del tema natale: l'Ascendente da cui inizia la prima casa (già sai!), l'Imum Coeli da cui inizia la quarta casa, il Discendente (da cui inizia la settima casa e la seconda parte del tema natale, quella dell'io che si confronta all'esterno di sé) e il Medio Cielo (da cui inizia la decima casa). Ascendente e Medio Cielo delle quattro sono le più forti e se vicino a esse cade un pianeta, allora le caratteristiche di questo pianeta coloreranno di sé tutta la personalità dell'individuo.

Il diametro del tema natale che va dall'Ascendente al Discendente separa il cerchio del tema natale in due metà: la metà inferiore (le case dalla prima alla sesta, anche dette **case notturne**) indica «quanto un individuo trova attorno a sé al momento della nascita, dalla persona fisica alla salute, dalle condizioni finanziarie all'ambiente famigliare», mentre le altre sei case, dalla settima alla dodicesima, che si trovano nella parte alta del tema natale (e che sono chiamate **case diurne**) «indicano le possibilità di sviluppo dell'individuo al di fuori o al di là dell'orizzonte consueto», sono cioè case in cui l'individuo entra in una società fatta di rapporti con la quale si confronta e nella quale si realizza ed esprime.

Se ora hai le idee confusissime significa che stai iniziando a capire qualche cosa! Cioè: le informazioni sono tantissime e le combinazioni infinite. È chiaro che un manuale di astrologia (questo e tutti i prossimi che leggerai) può darti delle indicazioni, delle regole e delle categorizzazioni, tuttavia resta fondamentale il lavoro dell'astrologo, che è proprio quello di mettere insieme le informazioni didascaliche e trarne delle rappresentazioni personalizzate. La lettura del tema natale richiede una grande capacità di collegare, soppesare e sfumare le caratteristiche che ci vengono spiegate dalle leggi dell'astrologia che, appunto, essendo i temi natali combinazioni uniche, non possono essere usate in modo graniticamente ferreo. Sempre la Morpurgo dice molto bene: «Lo Zodiaco, e i moti che in esso si iscrivono, rappresentano un insieme di forze così variamente e mutevolmente intrecciate da sfuggire a ogni catalogazione».

ALCUNE RISPOSTE PRIMA CHE TU MI FACCIA LE DOMANDE

1. Non è necessario che in una casa ci siano dei pianeti. **Se la casa è vuota** (cioè non ospita alcun un pianeta) allora per leggerla fa fede il segno zodiacale che cade sulla cuspide.
2. Spesso (quasi sempre!) la casa non coincide con un solo segno zodiacale ma con due o anche tre. Il segno della casa è comunque il primo, quello nel quale cade la **cuspide** (cioè la linea di inizio) della casa stessa.
3. Nel caso in cui una casa comprenda tre segni zodiacali, quello centrale (che sarà quindi compreso interamente) si dice "intercettato" e ha una certa importanza nel senso che va considerato a pari del segno nel quale cade la cuspide della casa. Soprattutto, ovviamente, se in questo segno cadono pianeti importanti.

4. Nel caso ci sia una casa nel tema natale che è molto piena, allora le caratteristiche, i luoghi, le modalità legate a questa casa diventano importantissimi per determinare *l'indole del soggetto*, indipendentemente dai segni zodiacali predominanti nel tema. È pur vero però che una casa molto ricca tende a "svuotare" la casa opposta limitandone moltissimo le caratteristiche, che quindi possono essere vissute con difficoltà.

5. Quando invece ci sono gruppi di pianeti concentrati in *due case opposte*, il significato che si dà all'asse tra le due case diventa un conflitto, anche se i pianeti non hanno una reale opposizione tra di loro (in termini di gradi).

6. Quando uno dei quattro quarti (gruppi di tre case consecutive) del tema natale è *affollatissimo*, lasciando gli altri quasi vuoti, si ha una indicazione specifica sul "settore" della vita nel quale la persona è più forte: il primo quadrante riguarda un io acerbo ma vivace, il secondo un io consapevole e legato alla famiglia, il terzo quadrante riguarda un io che intesse rapporti umani esterni e con questi si identifica, infine il quarto quadrante è di un io che non ha più bisogno degli altri per sentirsi rappresentato.

I SIGNIFICATI DELLE CASE

Indicativamente, sempre per facilitarci la vita, possiamo pensare che ciascuna casa ricalchi le caratteristiche del segno che le corrisponde (la prima l'Ariete, la seconda il Toro e così via). È pur vero però che ci sono alcuni significati legati a ciascuna casa che riguardano luoghi specifici e che quindi assumono più importanza quando usiamo le case non tanto nella lettura di un tema natale ma piuttosto nella lettura di un oroscopo, nella determinazione di un fatto.

Ad esempio (lo so che qui ne hai bisogno, ma ricordati che se hai le idee confuse sei sulla strada giusta!): la seconda casa riguarda l'ambito della casa nel senso di mura. Per questo, se stiamo leggendo un oroscopo e troviamo che in un determinato periodo c'è il pianeta Giove (soldi, fortuna) messo male che cade in una seconda casa, possiamo prevedere problemi all'interno delle mura domestiche (spese, lavori di ristrutturazione...). Più chiaro, adesso?

Ancora una cosa (ma da qualche parte devo avertelo già detto): non dimenticarti mai che *l'astrologia è personale*, vede e racconta le cose dal punto di vista del soggetto, di quello che lui ha sentito e percepito, non necessariamente vede una realtà dei fatti lucida e concreta. Ogni situazione è vissuta da un soggetto dando più spazio a determinati sentimenti e sensazioni. Ecco, questo vede l'astrologia leggendo il tema natale. Una persona che ha una Luna (la figura materna) debole può aver percepito la mamma distante, ma magari questa mamma non ha mai commesso particolari errori.

Ultimissima cosa (poi la smetto, giuro!): il passaggio dalla prima alla dodicesima casa (così come abbiamo visto dall'Ariete ai Pesci) indica un vero e proprio *percorso dell'uomo* che piano piano affronta ogni ambito della vita.

Prima casa

La prima casa inizia insieme a noi, nell'esatto istante in cui nasciamo. Siamo noi che diciamo "ciao" al mondo e indica il modo in cui lo diremo sempre, in ogni situazione. La prima casa è *l'io che affronta la vita*, che si presenta alla società e che la percepisce, che la guarda da una specifica angolazione.

L'abbiamo già incontrata parlando dell'Ascendente: la prima casa amplia e spiega le caratteristiche dell'Ascendente ed è per questo motivo (ti ricordi, vero?) che dicevamo che se l'Ascendente cade negli ultimi 2-3 gradi di un segno si considera il segno successivo, perché appunto in quello tutta la prima casa va a cadere.

Le qualità della prima casa riflettono sia chi siamo sia come affrontiamo la vita.

Se l'Ariete, segno che rappresenta le caratteristiche della prima casa, è il segno dell'io e dell'ego energico e dirompente per eccellenza, va da sé che una prima casa ricca di pianeti parlerà di una persona con un ego, una forza personale, una sicurezza di sé particolarmente potenti. La prima casa è potenza cieca e forte, è l'atto di entrare nella vita prepotentemente.

Se è vero, come dice Rudhyar, che l'obiettivo è capire come il segno di una casa ci suggerisce di vivere un determinato ambito, allora possiamo cercare di comprendere le caratteristiche della nostra prima casa per dare sfogo a esse nel vivere le "prime esperienze" della vita.

Non ti dimenticare, infine, che la prima casa (e l'Ascendente) definiscono anche *il nostro aspetto fisico, il corpo*. Questo è importante soprattutto considerando i pianeti che cadono nella prima casa (non necessariamente congiunti all'Ascendente), i transiti verso di essa e i pianeti che la abitano, per individuare nell'oroscopo un periodo di malessere o benessere fisico.

Chi ha un'*opposizione tra la prima e la settima casa* vive una forte diatriba interiore tra l'ego e il due, tra la voglia di comandare e decidere e il bisogno di condividere e far stare bene le persone che lo circondano.

CHI HA UNA PRIMA CASA RICCA?

Silvio Berlusconi, nientepopodimenoché.

PREGI DI UNA PRIMA CASA RICCA:

Sicurezza di sé, capacità di prendere decisioni in fretta e senza ciondolare tra grandi dubbi amletici, concretezza, risolutezza, determinazione testardissima, passione, possenza fisica.

DIFETTI DI UNA PRIMA CASA LESA:

Ego incontenibile, sopravvalutazione di sé e delle proprie capacità, incapacità di vedere e ascoltare l'altro (e gli altri in generale), bisogno di essere adorato, permalosità.

PAROLE CHIAVE DELLA PRIMA CASA:
IO, ESSERE, CORPO, TESTA, PRIMO, NUOVO.

Seconda casa

Nella seconda casa l'io prende forma e lo fa attraverso il *corpo* e il *possesso*. Attraverso quello che possediamo (o che desideriamo possedere) e quello che mostriamo con il nostro corpo noi siamo entità diverse le une dalle altre.

Indica ciò che riteniamo importante e *desideriamo ottenere nella vita*, quanto è importante e come deve essere la nostra *casa*.

L'io si siede e ha bisogno di costruire dopo essersi esposto al mondo. È l'eroe che torna a casa e vuole essere abbracciato all'interno del *territorio sicuro* che si è realizzato.

La seconda casa è la sicurezza della *stabilità* sia

nei rapporti che negli spazi. È la solidità. Il frigorifero pieno e l'amaca in giardino. La crema da notte e il pigiama sotto al cuscino. Il "per sempre" nel quale crediamo. Il qui e ora che vogliamo cristallizzare nel tempo.

Possedere (anche il *denaro*) ci dà una sensazione di sicurezza.

Chi ha una *opposizione tra la seconda e l'ottava casa* può vivere un forte senso di abbandono e di spaesamento sia sentimentale (riguardante la figura materna, ad esempio) sia fisico (gli espatriati).

La *gola* è il punto del corpo che viene rappresentato dalla seconda casa: il canto, il cibo, i piaceri, il dialogo.

La seconda casa è la casa dei *piaceri*, quelli del corpo prima di tutto. Chi ha una seconda casa ricca oppure in un segno che conosce il piacere (Toro, Bilancia, Leone) è una persona che ama i piaceri a dismisura e questo amore può spesso offuscare ogni altro pensiero.

A una seconda casa in Toro non chiedere di saltare il pasto!

CHI HA UNA SECONDA CASA RICCA?

Oprah Winfrey, che non ama essere dipendente ma preferisce dominare il suo territorio, anche quello

lavorativo e televisivo. Ma anche Paris Hilton, che avrebbe potuto fare l'ereditiera annoiata mentre si è buttata in business di diverso genere, sempre legati al mondo della bellezza.

PREGI DI UNA SECONDA CASA RICCA:

Ospitalità, saper godere dei piaceri della vita, cucinare bene, amare la natura e la naturalezza della genuinità, capacità di osservazione dell'ambiente circostante.

DIFETTI DI UNA SECONDA CASA LESA:

Materialismo che sfocia in ansia di possesso e paura di perdere ciò che si ha, gelosia, dare troppo significato alle cose che possediamo (o che posseggono gli altri), utilitarismo.

PAROLE CHIAVE DELLA SECONDA CASA:

CASA, AVERE, MAMMA, DENARO, CONFINE, TERRITORIO, CIBO, NUTRIMENTO, CANTO, GOLA, BELLO, NATURA, AVERE, LENTEZZA, PIACERE.

Terza casa

Nella terza casa l'io inizia a *socializzare* con il mondo, a entrare in relazione con esso così come in tutte le case corrispondenti a segni d'aria (terza, settima e undicesima). Per socializzare usiamo il *linguaggio*, tutti i tipi di linguaggio conosciuti e possibili. E le prime persone con cui socializziamo sono i nostri parigrado, *i fratelli e i cugini*.

La terza casa è la mente usata per raccogliere i dati come fosse una spugna. Non dimenticarti che, legata al segno dei Gemelli, è la casa che ci vede *adolescenti* e che in questo senso determina anche come affrontiamo questo periodo di passaggio. Così il segno zodiacale e i pianeti che popolano la terza

casa indicano il nostro **modo di pensare**, di raccogliere informazioni, di comunicare con le persone che ci circondano nella vita quotidiana.

Chi ha una forte **opposizione tra la terza e la nona casa** può avere problemi di comunicazione oppure aver sofferto a causa spostamenti e viaggi.

CHI HA UNA TERZA CASA RICCA?

Mark Zuckerberg, il fondatore di Facebook che, si può dire, ha cambiato le regole della comunicazione. Ora ciascuno è diventato redattore di un media e ha a disposizione un mezzo di comunicazione per parlare di sé. È stato un ribaltamento della comunicazione anche dal punto di vista sociale. Anche Bono Vox degli U2 ha una terza casa ricchissima, con addirittura la Luna congiunta a Nettuno che ne ha fatto un grande idealista, voce di problemi sociali.

PREGI DI UNA TERZA CASA RICCA:

Sapere cosa dire in ogni occasione e in ogni contesto; essere super social, con il selfie sempre pronto e i filtri magici, avere sempre un trolley col necessaire a portata di mano, mantenere buoni rapporti con fratelli, cugini e amici di infanzia.

DIFETTI DI UNA TERZA CASA LESA:

Movimento nevrotico di chi non sa stare nemmeno due ore a cena seduto composto, bisogno di chiacchierare in continuazione, superficialità di chi sa di tutto un po', ma nulla in modo davvero approfondito, sensazione di non sapere che cosa dire nelle situazioni che non ci sono congeniali, difficoltà ad ascoltare davvero quello che le persone cercano di comunicarci, insofferenza all'idea di partire per un weekend.

PAROLE CHIAVE DELLA TERZA CASA:

FRATELLI E CUGINI, LINGUAGGIO, SOCIETÀ E SOCIAL, NEWS E INFORMAZIONE, COMMERCIO, UDITO, MOVIMENTO VELOCE E NEVROTICO, CONOSCENZA SUPERFICIALE, IL PERIODO DELL'ADOLESCENZA, I VIAGGI BREVI, I MEZZI DI TRASPORTO, LE USCITE CON GLI AMICI.

Quarta casa

Con la quarta casa l'uomo smette di concentrarsi su ciò che di transitorio si presenta nella sua vita e inizia a guardarsi dentro, nel profondo, volgendo lo sguardo al passato e alla sensazione di protezione che viene dalla famiglia. Nella quarta casa, dopo i bagordi della terza, ci ritiriamo in noi stessi e parliamo con la nostra parte più profonda e intima. È la casa **dell'anima**, del **focolare domestico**, delle fotografie dal **passato**, dei parenti di primo, secondo e anche terzo grado, delle feste comandate e delle luci di Natale, dei bauli in soffitta e delle pantofole. Chi ha una quarta casa ricca sarà perfetto per tutte le attività che prevedono l'accoglienza, come il ristoratore o l'albergatore.

Nella quarta casa vediamo **chi siamo dentro** rispetto alle apparenze esterne (della prima casa).

La quarta casa è la nostra **famiglia** di provenienza, il senso di appartenenza a un piccolo nucleo dal quale siamo protetti e che vogliamo proteggere. Il segno che cade nella quarta casa e i pianeti che la abitano determinano il nostro modo di percepire l'ambiente domestico e quanto sia importante per noi che questo ambiente sia unito e solido.

Non è ancora ben chiaro (cioè, era chiaro fino a che Liz Greene non ha alzato il ditino e posto il dubbio) se la quarta casa simboleggi la **madre** e la decima (quella opposta) il padre o viceversa. Personalmente ritengo che sia così, ma non prenderla come una certezza assoluta. Comunque la quarta casa è la protezione e l'ascolto che si può trovare in casa e in famiglia. Chi ha una quarta casa forte ha bisogno di queste condizioni, le ha avute forti e tende a mantenerle e a ricrearne di simili, con le stesse dinamiche.

Questa casa è il **passato** e **l'infanzia**.

Chi ha un'**opposizione tra la quarta e la decima casa** ha sofferto per la mancanza di un forte senso di protezione da parte della famiglia di origine, oppure fatica a crearsi una sua propria famiglia per eccesso di indipendenza e autonomia.

CHI HA UNA QUARTA CASA RICCA?

George R. R. Martin, scrittore delle *Cronache del ghiaccio e del fuoco* da cui è stata tratta la serie tv *Il Trono di Spade*, che parla della lotta infinita tra poche casate per la conquista del potere. La famiglia in questo caso è importantissima.

PREGI DI UNA QUARTA CASA RICCA:

Accoglienza che nemmeno il proprietario di un albergo, gusto nell'arredamento, preferenza per le attività da svolgere in casa, campioni mondiali di divanate, fortissimo patrottismo e senso civico (farebbe indossare le pattine anche sugli autobus).

DIFETTI DI UNA QUARTA CASA LESA:

Tende a restare molto legato alla famiglia di origine faticando a prendere la propria strada, oppure l'introspezione diventa così forte da essere fragile e facilmente feribile, soffre per la mancanza di protezione da parte della famiglia o della figura materna.

PAROLE CHIAVE DELLA QUARTA CASA:

CASA, DIVANO, ABBRACCIO, FAMIGLIA, PETTO, SENO, PATRIA, INFANZIA, PASSATO, PSICOTERAPIA E MEDITAZIONE, MURA DOMESTICHE E ARREDAMENTO, ABBIGLIAMENTO E ACCESSORI TIPICI DELLA CASA, VITA TRANQUILLA.

Quinta casa

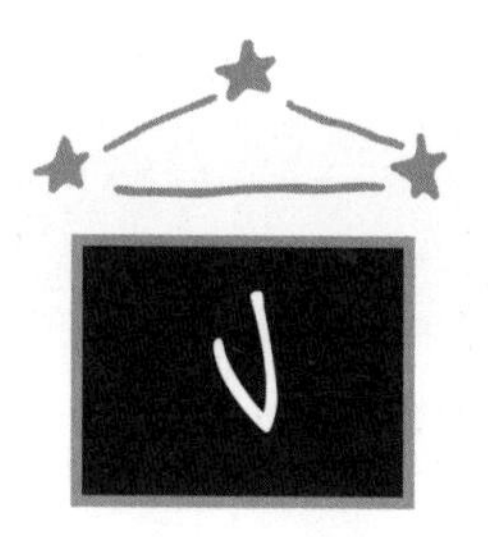

Nella quinta casa l'io vuole diventare qualcuno di speciale, vuole strafare, vuole conquistare, espandersi e migliorare sempre di più.

Se questa è la casa *dell'ego*, allora tutto quello che è espressione dell'ego e dell'io diventa fondamentale: la passione e la creatività, il *lusso* e l'apparenza, la bellezza e la brillantezza, ma soprattutto il *divertimento* e il *tempo libero*.

Il segno e i pianeti nella quinta casa indicano i settori nei quali possiamo sviluppare la nostra *creatività* e soprattutto come viviamo il nostro tempo libero, gli hobby e le energie che spendiamo per noi stessi, senza essere legati ad alcun dovere.

Ovviamente tutto questo ego sviluppa un *fascino* senza precedenti, quindi in base al segno della quinta casa capiamo come ciascuno sviluppa ed esprime il suo sex appeal.

A questa casa appartengono anche i *figli* e *l'educazione*, due concetti importanti. L'educazione, infatti, rende liberi di scegliere lo stile con il quale esprimerci e le cose da fare nel nostro tempo libero.

La *quinta casa è opposta all'undicesima*: se la quinta è legata alle energie individualiste, quella in opposizione è la casa della condivisione, dove l'ego perde la sua forza e parte delle sue energie.

CHI HA UNA QUINTA CASA RICCA?

Lady Gaga, energica al limite della femminilità ed erotica, provocatoria e audace in ogni sua espressione.

PREGI DI UNA QUINTA CASA RICCA:

Energie inesauribili, amore per il rischio e il proibito (il gioco d'azzardo è di grande attrattiva), sessualità dilagante oltre ogni limite, ma più energica che maliziosa (quella è l'ottava casa!), capacità di stare al centro dell'attenzione senza alcuna timidezza, stilosità.

DIFETTI DI UNA QUINTA CASA LESA:

Egocentrismo smisurato, bisogno spasmodico e ossessivo di essere adorato esplicitamente diverse volte al giorno e necessità vitale di essere sempre al centro dell'attenzione provocando, se possibile, anche negli altri una certa dose di ammirazione.

PAROLE CHIAVE DELLA QUINTA CASA:

EGO, LUCE, VITALITÀ, ENERGIE, CUORE (NEL SENSO ANATOMICO DEL TERMINE), TEMPO LIBERO, HOBBY, CREATIVITÀ, DIVERTIMENTO, FIGLI, EDUCAZIONE E SCUOLA, SEX APPEAL ED EROS, PIACERI, NIGHT CLUB, GIOCO E PROIBITO.

Sesta casa

Dopo i bagordi della quinta casa, nella sesta si torna alla **misura**, al **dovere**, alla **routine** e al **lavoro**. Praticamente nella sesta casa abbiamo la testa sulle spalle, proprio come nel segno della Vergine.

La sesta casa chiude la prima metà del cerchio delle dodici case e rappresenta un io che guarda con chiarezza alla vita e si prepara a entrare nel mondo con consapevolezza e senso della misura e di **responsabilità**. Educato, insomma!

La sesta casa è la misura nel vivere la **vita quotidiana** fatta di doveri, di tempi da rispettare, di piccole routine. È l'adattarsi alla vita e trovare soluzioni pratiche per viverla al meglio.

È anche la casa della *salute fisica*, della medicina e di infermieri e infermiere o di tutti coloro che si fanno in quattro per fare bene il proprio lavoro di pubblica utilità.

Se vogliamo proprio dirla tutta, la sesta casa è anche legata ai *piccoli animali domestici*, tipo il gatto e il canarino.

Infine, definisce il nostro senso del *tempo*, come lo viviamo, che rapporto abbiamo con esso.

Quando c'è *opposizione tra la sesta e la dodicesima casa* si possono avere problematiche di salute croniche, ipocondria forte, senso di difficile adattamento alla realtà, bisogno di evasione dalla routine che diventa fuga.

CHI HA UNA SESTA CASA RICCA?

Federica Pellegrini, famosa per pretendere moltissimo da se stessa e per sottoporsi ad allenamenti estenuanti. Lei non ha mai amato il gioco di squadra, ma piuttosto ha sempre corso da sola, responsabile delle sue azioni.

PREGI DI UNA SESTA CASA RICCA:

Vivere bene i doveri, il lavoro, l'ordine, la routine, la normalità e la quotidianità senza ansia di strafare,

ma con la voglia di fare del proprio meglio nel modo migliore possibile. Prendersi cura con grande amore delle persone e degli animali, sobbarcandosi ogni dovere e ogni noiosa incombenza senza lamentele.

DIFETTI DI UNA SESTA CASA LESA:

Ipocondria, ansia del tempo che scorre, bisogno di fuga dalla realtà, incapacità di sottostare alle regole del vivere quotidiano come gli orari di lavoro, i report al capo e i doveri familiari, i problemi di salute reali o immaginari.

PAROLE CHIAVE DELLA SESTA CASA:

QUOTIDIANITÀ, LAVORO, TEMPO, MISURA, REALISMO.

Settima casa

La settima è la terza delle case angolari che incontriamo proseguendo nel cerchio delle dodici case, ed è anche la prima della seconda metà del cerchio, ovvero quella che si rapporta al tu. Se la prima casa era io, la settima è **due**, proprio come lo era la Bilancia.

Nella settima casa vediamo come ci rapportiamo al due, **all'altro** in generale. È la casa della **coppia** e che indica in generale quale consapevolezza abbiamo dell'altro (rispetto alla prima casa, che è l'io che entra nel mondo): la settima casa ci dice moltissimo della **persona ideale** con la quale cerchiamo di iniziare una relazione. Qui ci mettiamo insieme a qualcuno con uno scopo, un **progetto**, per non essere più

uno ma due. Il segno e i pianeti nella settima casa indicano dunque come viviamo il rapporto a due, la coppia, il matrimonio e che cosa cerchiamo in questa promessa e in questo progetto comune.

Ogni tipo di propensione (o meno!) alla collaborazione dipende dalla settima casa che ci spiega come viviamo le responsabilità nei rapporti, soprattutto quelli intimi.

È anche la casa della bellezza, dell'armonia, dell'equilibrio e della simmetria nelle cose.

Nell'oroscopo la settima casa indica poi i tribunali, le sentenze, le leggi e la giustizia. Questo comporta che se abbiamo in corso una causa legale, possiamo guardare i transiti in questa casa per capire davvero che cosa aspettarci.

CHI HA UNA SETTIMA CASA RICCA?

Monica Bellucci, che è stata sposata per molti anni con Vincent Cassel e che si espone sempre molto nella sua vita di coppia, proprio come Lady Diana che è stata consorte di uomini decisamente potenti.

PREGI DI UNA SETTIMA CASA RICCA:

Persona perfetta per stare in coppia perché disponibilissima ad annullare il suo io a fronte di un patto, un progetto, uno scopo comune; capacità di sobbarcarsi ogni sbattimento, responsabilità e noiosa incombenza pur di vedere l'altra persona felice; tendenza ad appianare, risolvere, trovare una soluzione che faccia felici tutti (prima di sbottare e dirvi che vi odia dovrete davvero farla grossa).

DIFETTI DI UNA SETTIMA CASA LESA:

Assenza totale di ego e incapacità di farsi valere nella vita, dipendenza estrema dal giudizio degli altri e soprattutto dalla metà della coppia, messa in discussione che si avvicina a quella di un martire della libertà, allergia o scelte sbagliate in fatto di matrimoni e convivenze... Whitney Houston, per esempio, aveva una settima casa molto lesa.

PAROLE CHIAVE DELLA SETTIMA CASA:

TU, ALTRI, GIUSTO, BELLO, BUONO, MATRIMONIO, CAUSE GIURIDICHE, LEGGI.

Ottava casa

L'ottava casa è complicata, proprio come il segno dello Scorpione. Siamo tutti d'accordo che qui si abbia a che fare con le profondità del **rischio** e dell'ignoto: praticamente l'anti sicurezza (che invece era la base della seconda casa). L'ottava casa rappresenta il **distacco** da ogni stabilità, routine, famiglia felice: è la casa delle **scommesse**, delle **partenze** (fino alla **morte**, partenza estrema), dell'attrazione verso tutto ciò che è sconosciuto.

Sasportas (sempre lui, ma ormai hai capito che lo amo, soprattutto quando parla delle case astrologiche!) ci mostra un altro aspetto dell'ottava casa: è la casa che indica come ci comportiamo quando dobbiamo trovare un compromesso in un rapporto. Cioè, una volta che ci siamo accoppiati e che due entità separate e ben distinte sono diventate un'unica cosa, cosa succede? Cosa vogliamo? Come ci comportiamo? L'ottava casa, sempre secondo Sasportas, è il rapporto profondo, quello in cui muore l'uno per diventare davvero due. La **morte**, il **sesso** e la **rigenerazione** (Plutone) fanno infatti parte (questo secondo tutti gli astrologi) di questa casa, solo Sasportas ci è arrivato da un percorso diverso. Giusto perché tu possa ricordarti bene il concetto: l'unione massima tra due persone, ovvero l'orgasmo, veniva chiamato dagli elisabettiani «piccola morte». Il concetto è lo stesso!

L'ottava casa è quella degli impulsi primordiali, bestiali, viscerali... sempre Plutone. È la casa **dell'esistenzialismo** e delle domande profonde della vita, ma anche dell'istinto e del **sesto senso**. Un'ottava casa in un segno di acqua amplifica questa visione.

CHI HA UNA OTTAVA CASA RICCA?

Sophia Loren, Raffaella Carrà e Kendall Jenner, tutte donne dalla femminilità provocante e misteriosa, attraente ed erotica.

PREGI DI UNA OTTAVA CASA RICCA:

Amore per il rischio, il bluff, il camminare sul filo del rasoio come una ballerina del circo con la biciclettina monoruota. Sembra non avere paura di nulla e per questo può tranquillamente maneggiare e investire grandi somme di denaro altrui. Capacità, o almeno è così che appaiono, di rinascere continuamente dalle proprie ceneri: la loro vita è un continuo susseguirsi di grandi esperienze come diversi libri di una stessa enciclopedia. Ultimo, capacità di esercitare un grande controllo sulla collettività, a livello casalingo o sociopolitico.

DIFETTI DI UNA OTTAVA CASA LESA:

Ansia del controllo, paranoia, mistero che va talmente oltre da non saper vivere alla luce del sole, senso di abbandono.

PAROLE CHIAVE DELLA OTTAVA CASA:

EREDITÀ, BANCHE E AFFARI ECONOMICI, MORTE, RESURREZIONE, INFERI, PASSIONE SEGRETA, SEGRETI IN GENERALE, SESSO.

Nona casa

Viene chiamata “**la casa del lontano**” e qui si intende lontano da tutto e tutti: luoghi **stranieri**, persone straniere, conoscenze ancora lontane. In questa casa vediamo quale sia la nostra predisposizione al **viaggio** e alla **ricerca**, sia fisica sia mentale. Quanto lontano vogliamo andare, insomma, coi piedini o con la testa. È la casa del **pensiero filosofico** e innovativo, delle **riforme sociali**, di tutto ciò che ha a che fare con il **turismo**, dall’agente di viaggi al guidatore di autobus.

Questa casa è l’allontanamento dal comune e dal confine sicuro, è il movimento di ricerca e scoperta.

Non dimentichiamoci però che Giove, che domina il Sagittario e che quindi è importante per la nona casa, è un pianeta di *benessere*, *felicità*, leggerezza e abbondanza. Tutta questa storia della ricerca quindi non viene fatta con l'ansia di dover capire, ma con la voglia di imparare sorridendo. Insomma la nona casa è il viaggio in minivan cantando a squarciagola.

Questa è la casa della verità altra, della *religione*, con la quale cerchiamo di dare un senso alla vita.

Se stiamo facendo un oroscopo e dobbiamo comprendere l'importanza o l'andamento di un viaggio, un trasferimento, un'esperienza all'estero, questa è la casa da prendere in considerazione. Ovvio, no?

CHI HA UNA NONA CASA RICCA?

Uma Thurman e Catherine Zeta-Jones, due donne che hanno comunicato apertamente, e rompendo gli schemi, alcuni aspetti provati della loro vita: Catherine che soffre di bipolarismo e Uma è stata tra le attrici molestate da Weinstein.

PREGI DI UNA NONA CASA RICCA:

Spesso ha un atteggiamento da guru nei confronti della verità. Sciamani, filosofi, religiosi… il cammino di Santiago di Compostela piace parecchio a chi ha una nona casa importante. Qui ci si fanno domande profonde e si ha voglia di confrontarsi... la superficialità non ha spazio. I confini del pensiero sono banditi e queste persone non vi diranno mai che non hanno voglia di parlare di qualcosa o di confrontarsi in merito a una situazione, anche se dovesse riguardare i vostri sentimenti e non i loro. Insomma, se ami una persona con una nona casa ricca non aver paura di legarlo alla sedia fino a che non avrà risposto a tutte le tue domande sentimentali... non aspettarti sempre risposte nette però, qui la sfumatura è arte!

DIFETTI DI UNA NONA CASA LESA:

Non riesce a stare fermo in un posto e ha bisogno di programmarsi weekend lunghi all'estero, cercare informazioni, interessi e attività sempre nuove perché fatica a concentrarsi sulla sua parte interiore ma anche a sopportare il silenzio. Nella comunicazione spesso risulta fuori luogo, eccessivo.

PAROLE CHIAVE DELLA NONA CASA:

VIAGGIO, SCOPERTA, FILOSOFIA, DOMANDE, RELIGIONE, RICERCA DELLA VERITÀ, PARENTI ACQUISITI, SCUOLA SUPERIORE, PUBBLICHE RELAZIONI E LINGUE STRANIERE, EDITORIA E LIBRI, YOGA, MEDITAZIONE, OLI ESSENZIALI, FUTURO.

Decima casa e Medio Cielo

Eccoci al Medio Cielo, che come ti dicevo sopra (controllo che tu sia attento!), dopo l'Ascendente, è l'altro punto del tema natale di cui dobbiamo tenere gran conto. E come l'Ascendente, **è una posizione**: si tratta della cuspide della decima casa, nonché della linea che indica il mezzogiorno (mentre l'Ascendente indica l'alba). Come per l'Ascendente, anche un pianeta che sia congiunto al Medio Cielo diventa fondamentale per l'intero tema natale.

La decima casa è importantissima perché è qui che vediamo come viviamo la nostra **realizzazione personale**, che non ha nulla a che fare con lo stipendio, ma che è come noi veniamo riconosciuti nella società. Per esempio io sono un'astrologa, poi poco importa se con questa attività io mi possa mantenere lo yacht o abbia bisogno di un doppio lavoro serale. Astrologa comunque sono. Capito il concetto? Liz Greene dice che la decima casa è il nostro «marchio sociale», l'immagine che cerchiamo di dare di noi stessi.

Nella decima casa ci vediamo per chi siamo nel mondo, per cosa diciamo quando ci presentiamo e parliamo di noi, per quello che abbiamo fatto per realizzarci.

Successo, ambizione, status, realizzazione, indipendenza e bisogno di essere riconosciuti per quello che abbiamo fatto. Il lavoro e la carriera quindi sono fondamentali per questa casa. È qui che guardiamo quando leggiamo in un oroscopo un cambiamento lavorativo.

Questa è la casa della responsabilità, di chi deve controllare, guidare e governare una famiglia. In questa casa vediamo anche come siamo come genitori, che valori passiamo ai nostri figli e con quali affrontiamo questo ruolo. Vediamo quale sia il nostro rapporto con l'autorità, con le figure autoritarie come i genitori, gli insegnanti e i superiori.

CHI HA UNA DECIMA CASA RICCA?

Steve Jobs. E ho detto tutto.

PREGI DI UNA DECIMA CASA RICCA:

La situazione è sempre sotto controllo e si ha una persona che prepara piani quinquennali delle sue prospettive lavorative, ma non solo. Ci si dà da fare davvero senza troppe storie a testa bassa e con poca permissività verso se stessi e le persone che devono collaborare con noi. Sguardi di fuoco e ambizione alle stelle: nulla è lasciato al caso e l'anno sabbatico solo dopo i settanta!

DIFETTI DI UNA DECIMA CASA LESA:

Ha assolutamente bisogno di essere riconosciuto e ostenta ogni risultato, oppure è totalmente disinteressato e pigro verso qualsiasi tipo di realizzazione personale. Ha problemi con le leggi e l'autorità: con questa situazione astrologica la durezza dei rapporti, soprattutto dell'infanzia, rende indispensabile dimostrare al mondo che da soli ce la si fa e anche benissimo... la rivincita spesso è ansiosa!

PAROLE CHIAVE DELLA DECIMA CASA:

PAPÀ, LAVORO, RESPONSABILITÀ, INDIPENDENZA, STATUS, REALIZZAZIONE, PROGRAMMA, AMBIZIONE, AUTORITÀ, GENITORI, SUPERIORI.

Undicesima casa

Sempre dai nostri amici dell'astrologia classica, l'undicesima casa viene definita la «**casa delle amicizie**» lontana dall'ego, dagli eccessi e da ogni tormento. Gli inglesi la chiamano anche la casa della *big fortune*. Dice bene, insomma!

In questa casa, che è l'**anti ego**, vediamo come viviamo i nostri rapporti sociali e di **gruppo**: se sentiamo di appartenervi o se li rifuggiamo, se ci sentiamo esclusi o se vogliamo comandarvi. Il nostro modo di vivere le **amicizie** è rappresentato qui; siamo parti di un sistema che ha bisogno di ogni singolo individuo e delle sue energie interattive per svilupparsi.

Come tutte le case legate a segni d'aria, anche

l'undicesima è una casa sociale: il **divertimento**, la condivisione, le serate tutti insieme, le **feste** e gli aperitivi. La solitudine introspettiva è bandita da questa casa!

Le **larghe vedute** sono tipiche di questa casa così come la tolleranza, la diplomazia e la capacità di pensare *out of the box*, per questo l'undicesima è la casa delle possibilità, del futuro, delle innovazioni e dei colpi di genio.

Vediamo come il soggetto vive i **cambiamenti**, le deviazioni di rotta, le **novità improvvise**.

Non dimenticarti però che l'Acquario è dominato da Urano, quindi anche la praticità nel **risolvere** e cambiare le situazioni o nel dire quello che si pensa senza fronzoli emotivi possono essere rappresentati in questa casa.

CHI HA UN'UNDICESIMA CASA RICCA?

Frida Kahlo, che con un'undicesima casa ricchissima ha vissuto una vita in modo non convenzionale, sovvertendo comportamenti e diventando paladina di una nuova concezione della femminilità. Anche Meryl Streep ha un'undicesima casa molto ricca e anche lei si espone pubblicamente in ogni occasione celebrativa per parlare di eventi sociali e politici.

PREGI DI UN'UNDICESIMA CASA RICCA:

Dà l'impressione di essere uno che cade sempre in piedi, che le cose gli piovono dal cielo e sono anche quelle giuste (mica le cacche di piccione che si beccano gli altri), che nulla possa sconvolgerlo, nemmeno le situazioni più difficili. La condivisione e la collaborazione qui sono fondamentali, come la voglia di stare tutti insieme senza che nessuno sia un adorato leader.

DIFETTI DI UN'UNDICESIMA CASA LESA:

Si sente spesso escluso dai gruppi, fatica a creare amicizie emotive e durature, sente di non essere sufficientemente empatico nell'espressione delle sue idee ma, ogni tanto, soffre lui stesso per primo di "andarci giù col coltello", come si dice a Milano!

PAROLE CHIAVE DELLA UNDICESIMA CASA:

COLLABORAZIONE, TUTTO, AMICI, FRATELLANZA, CONDIVISIONE, PRAGMATISMO, ABILITÀ MANUALI, SOCIAL, FESTE, IMPEGNO SOCIALE.

Dodicesima casa

La dodicesima, come tutte le case di acqua, è legata alle emozioni forti e potenti, quindi non sempre facile da spiegare. È la casa della nostra **visione mistica, religiosa, ultraterrena, di amore ed energie cosmiche**. Parla di **emozioni, paure, fuga** dalla realtà, attenzione emotiva ai sentimenti altrui. In questa casa noi aiutiamo gli altri perché ci sentiamo vicini a loro.

Ci mostra come viviamo la **solitudine** e il contatto con la nostra parte più intima ed emotiva (Jung diceva che questa è la casa **dell'inconscio**): se ne siamo impauriti, se la rifuggiamo o se siamo in grado di guardarla negli occhi. Qui l'emozione è slegata da ogni genere di contatto col reale e spesso vive vite parallele che possono creare confusione sia nel soggetto sia nelle persone con le quali questo ha a che fare.

La dodicesima casa è la casa del cambiamento, del fluire del reale, dei passaggi morbidi. È una casa nettuniana, non dimenticartelo!

Ultima cosa: devi sapere che esistono delle persone che affrontano l'astrologia con il metodo scientifico della statistica. Prendono mille mila temi natale e ne studiano le caratteristiche. Il più famoso si chiama Michel Gauquelin. Ecco, loro hanno scoperto che, benché la prima casa sia quella dell'io nel mondo, spesso a influenzare quale sarà la professione di un individuo sono gli elementi della dodicesima casa. Questo perché la dodicesima casa è l'ultima, ma anche quella prima della prima, quella della preparazione, dell'imprinting insomma.

CHI HA UNA DODICESIMA CASA RICCA?

Angelina Jolie, famosa per le grandi tensioni psichiche ma anche per la sua enorme umanità nell'aiutare in prima persona le persone che soffrono.

PREGI DI UNA DODICESIMA CASA RICCA:

È una crocerossina nata, ipocondriaca ma sempre pronta a correre in aiuto di chi sta male, potrebbe stare male, finge di stare male... poco importa! Qualsiasi siano i valori di un tema natale avere una dodicesima casa ricca dà uno spiraglio di emotività, di introspezione, di empatia e compassione verso gli altri e un alto grado di introspezione e profondità nel proprio io. La creatività qui è senza freni perché la realtà è una fastidiosa incombenza.

DIFETTI DI UNA DODICESIMA CASA LESA:

Nella sua grande fatica di vivere il reale, chi ha una dodicesima casa lesa tende a rifuggirlo in tutti i modi, anche quelli illeciti. Droghe, alcool, creatività e ribellione estrema oltre ogni regola sociale. La confusione in questo caso è grande ed è un attimo che sfoci nella paranoia, nell'autocommiserazione, nell'idealismo sognante che però, se non viene dichiarato, fa un po' incazzare le persone che vi credono. Io la chiamo "ipocondria emotiva".

PAROLE CHIAVE DELLA DODICESIMA CASA:

EMOZIONI, EMPATIA, SOGNI, IDEALISMO, FOLLIE, VOLONTARIATO, CROCEROSSINA, AIUTO, CHIESA, RELIGIONE, OSPEDALE, SILENZIO, CREATIVITÀ, FANTASIA, LAVORO, INDIPENDENZA, ASSENZA DI REGOLE SOCIALI.

CAPITOLO 5

GLI ASPETTI TRA I PIANETI NEL TEMA NATALE

A questo punto, se tu fossi ad Hogwarts e io Minerva McGranitt, vicepreside della scuola di maghetti, tu saresti vicinissimo al tuo diploma del primo anno. Finito questo capitolo puoi andare a festeggiare e fare quelle cose sceme tipo il toga party. Ma adesso resta concentrato ancora per qualche pagina!

Abbiamo detto che nel tema natale, la mappa del cielo astrologico sopra la tua testa al momento della tua nascita, ci sono dieci pianeti più due posizioni importanti (Ascendente e Medio Cielo) che cadono ciascuno in uno dei dodici segni e in una delle dodici case astrologiche nelle quali è diviso il cerchio dello Zodiaco.

Ogni pianeta indica una qualità, ogni segno spiega le caratteristiche con le quali la viviamo e ogni casa indica l'ambito di azione privilegiato nel quale questa qualità si manifesta nella nostra vita e nel nostro carattere.

Fin qua ci sei? Bene. Applausi.

Adesso, l'ultimo pezzo: i pianeti sono legati tra loro da **connessioni, armoniche o disarmoniche, che si chiamano aspetti**. È tutta una questione geometrica, alla quale si aggancia una questione simbolica. Quante questioni!

Geometricamente:

- si ha la *congiunzione* quando due pianeti si trovano negli stessi gradi dello stesso segno. Uno sopra all'altro. Pomiciano duro insomma;
- si ha il *sestile* quando due pianeti sono a una distanza di 60 gradi;
- si ha il *quadrato* quando due pianeti sono a una distanza di 90 gradi;
- si ha il *trigono* quando due pianeti sono a una distanza di 120 gradi;
- si ha l'*opposizione* quando due pianeti sono a una distanza di 180 gradi;
- poi c'è anche il *quinconce*, quando due pianeti sono a una distanza di 150 gradi, ma questo te lo evito.

Ricordati che esistono le tolleranze (cioè una cintura di gradi entro i quali gli aspetti si ritengono ancora validi, anche se non precisissimi) ma che ciascuno se le gestisce come vuole. Io sono una abbastanza tollerante, sia nella vita sia nell'astrologia, e adotto due regole: la tolleranza di 5 gradi prima e dopo per i pianeti veloci e semilenti e la tolleranza di 3 gradi prima e dopo per i pianeti lenti. C'è chi arriva fino a 9 e chi non si azzarda ad andare oltre i due e mezzo. Ma la vita è così, questione di opinioni.

Allora: nella squadra degli aspetti buoni giocano il sestile e il trigono, nella squadra dei cattivi giocano il quadrato e l'opposizione, mentre la congiunzione si astiene. La congiunzione è quella classica cosa che per valutarla devi avere l'occhio dell'astrologo (e tu l'hai già o l'avrai ben presto), nel senso che bisogna considerare diversi fattori a partire dalla natura dei due pianeti che si congiungono, dal segno nel quale si congiungono e dagli aspetti che questi due pianeti formano con gli altri. Un casino insomma, ma ce la farai. Col tempo.

Abbiamo già visto però che possono esistere dei **pianeti isolati** (torna indietro al capitolo 2 se non te lo ricordi) ovvero dei pianeti che stanno lì a fare tappezzeria come il tizio timido al ballo della scuola: questi pianeti non sviluppano a pieno le loro caratteristiche, sono come spaesati, perduti, poco convinti. Ma capita, eh!

Adesso vediamo che cosa significa ciascun aspetto, ma prima un ripassino veloce di alcune regole:

1. in Astrologia è sempre importante vedere il complesso e non applicare ciecamente una regoletta. Questa è la differenza tra un astrologo che sente tutto il tema natale e un software preimpostato;
2. Considera sempre le nature dei pianeti: ci sono pianeti che vanno d'accordo, come Venere e la

Luna, e pianeti che sono dissonanti, come la Luna e Saturno. Questo ovviamente influisce molto nel decifrare il significato di un aspetto;

3. Non essere rigido nel considerare solo negativi gli aspetti negativi e viceversa. Un tema natale con solo aspetti positivi è tipico di chi non si mette in discussione, non vive la vita ma galleggia in superficie come il materassino a forma di donut rosa in piscina.

CONGIUNZIONE: NEUTRO

Quando due pianeti cadono congiunti si influenzano l'un l'altro e ciascuno prende un po' delle caratteristiche dell'altro. Ovviamente, dipende tanto dai pianeti interessati: una Luna congiunta a Venere aumenta la dolcezza e la bellezza femminile (in Rihanna, con lo sguardo da gattona), ma una Luna congiunta a Saturno (come per Meghan Markle) ne limita l'emotività profonda e sensibile. In più, se uno dei due pianeti cade in un segno in cui si trova in domicilio o esaltazione (sempre capitolo 2) è chiaro che sarà più forte e quindi potrebbe prevaricare sull'altro pianeta: se Marte e la Luna cadono congiunti nel segno dell'Ariete, è evidente che quel Marte sarà molto più forte della Luna.

Dunque, quando si ha un pianeta veloce, più personale (Sole, Luna, Mercurio, Marte e Venere) congiunto a un altro pianeta, per spiegare come lavora nel carattere della persona dovremo valutare il segno, la casa e il pianeta al quale si trova congiunto. Capito?

SESTILE: BUONO

Due pianeti in sestile si influenzano bene l'un l'altro, cioè la loro relazione è armoniosa anche se i due pianeti dovessero parlare due lingue differenti. Per esempio, la Luna sestile a Saturno diventa una femminilità solida e fedele, seria e determinata anche nei moti dell'animo, che non sono frivoli e civettuoli.

QUADRATO: CATTIVO

Due pianeti in quadratura stridono, anche se sono pianeti che fanno parte della stessa sfera d'azione. Tra le due qualità c'è incomprensione, presente o radicata da esperienze passate, magari ereditate o vissute nei primi anni di età. Due pianeti in quadratura si influenzano negativamente. Il Sole quadrato a Marte indica insicurezza e prepotenza, assenza o eccesso di aggressività, conflitti e senso di competizione con la figura paterna che si cerca sempre di superare. In poche parole due pianeti in quadratura prendono il peggio l'uno dall'altro. Ma poi quegli stessi pianeti continuano a essere influenzati da altri aspetti oltre alla loro stessa posizione (in un segno e in una casa). Per esempio in Kate Middleton è così e aumenta visibilmente la sua ambizione, la sua voglia (e forse anche il bisogno?) di riuscire.

TRIGONO: BUONISSIMO

Due pianeti in trigono prendono il meglio del meglio l'uno dall'altro. Si caricano, si gasano a vicenda come due amiche prima che una delle due esca con il tipo che le piace da sempre. Una Luna trigono a Plutone (come accade nel tema natale di Demi Moore) crea una femminilità provocante e sensuale, passionale e intrigante.

Questo vale anche quando i due pianeti sono dissonanti. Nettuno trigono a Marte, ad esempio, come nel tema natale di Angelina Jolie, indica una grande capacità di creare e credere in grandi progetti e buttarsi nella loro realizzazione. I due pianeti in sé si capiscono poco, ma in questo caso si influenzano positivamente. Chiaro che se poi questi pianeti si piacciono, come appunto sopra la Luna e Plutone, tutto va a gonfie vele!

OPPOSIZIONE: CATTIVISSIMO

Eccoci qua all'aspetto più difficile. Fisicamente nell'opposizione due pianeti sono il più lontano possibile, si affrontano, si sfidano, si odiano.

Poi, è anche vero (e questa è una teoria per la quale non ti libererai facilmente di me - spoiler!) che le opposizioni sono delle ferite che sentiamo e che, se ci ascoltiamo, impariamo a curare. A quel punto restano delle cicatrici, ma possono diventare dei punti di rinascita profondissimi, quindi bellissimi ricordi del nostro percorso, anche se qualche volta accidentato.

Il Sole opposto a Urano è di un io (Sole) che non riesce a cogliere le caratteristiche di audacia e risolutezza di Urano ma, al contrario, si sente bloccato dalle insicurezze e si trova sempre nel posto sbagliato al momento sbagliato. Questo c'è nel tema di Lady D, per esempio... in cui tra l'altro tutta quella dolcezza sensibile e fragile del Cancro non aiutava.

Se Plutone trigono alla Luna ha portato quella magnifica combinazione che ti ho spiegato sopra, con Plutone opposto alla Luna, allora la Luna (l'Es inconscio di una donna) sarebbe schiacciata dalle paranoie, dalle insicurezze e quell'alone di mistero diventerebbe paura di essere fregata e difficoltà a sprofondare nel proprio intimo emotivo con naturalezza. Ce l'ha ad esempio Catherine Zeta-Jones.

CAPITOLO 6

COME COSTRUIRE IL TUO OROSCOPO

La parola OROSCOPO deriva dal greco e significa "*osservazione del tempo*", nel senso che tutto quello che riguarda l'astrologia e l'oroscopo parte dalla posizione dei pianeti in un determinato momento (la sintonia tra tempo e pianeti è abbastanza logica) e dal continuo monitorare i loro movimenti. Perché una certezza abbiamo nella vita (ne abbiamo poche, ma questa è una di quelle sulle quali si può contare ciecamente) ed è che *i pianeti continuano a muoversi*, ciascuno alla sua velocità, e che quindi pensare che le cose rimangano per sempre uguali è come pensare che non smetta mai di piovere. Dunque se rimangono così è solo colpa nostra (polemica, questa astrologa!).

CHE COS'È L'OROSCOPO E COME SI LEGGE

Ma procediamo con ordine e facciamo un recap, che fa sempre bene.

Abbiamo visto che nel cielo astrologico ci sono dodici costellazioni chiamate Zodiaco, che è letteralmente "il percorso circolare (del Sole) tra le figure celesti (delle costellazioni)". Queste sono appunto le dodici intercettate dall'eclittica (il percorso apparente del Sole intorno alla Terra). E queste dodici costellazioni sono i dodici segni zodiacali (capitolo 1).

L'Astrologia assegna a ogni segno zodiacale (dall'Ariete ai Pesci) delle precise caratteristiche. E fin qua, ci siamo.

Nel cielo, oltre al Sole, si muovono ovviamente anche altri pianeti, a diverse velocità rispetto alla Terra (dalla Luna velocissima a Plutone lentissimo). Anche a ciascun pianeta l'astrologia assegna un territorio di influenza (capitolo 2). E anche qui, abbastanza chiaro.

Nell'esatto momento in cui una persona nasce o avviene un evento, si può fare una *fotografia del cielo astrologico* (dico astrologico per un motivo specifico: perché a causa della precessione degli equinozi il cielo astronomico non coincide più con quello astrologico). Questa fotografia è un tema natale (nel senso di tema - o carta - di nascita, nulla a che vedere con il panettone, spero che questo ormai sia chiaro!).

Il punto zero di ogni tema natale è l'Ascendente, ovvero il segno zodiacale che nasceva a Est nel momento in cui è avvenuto il fatto. Dall'ascendente in senso anti orario si leggono i 360 gradi del tema natale che saranno quindi composti dai dodici spicchi (di 30 gradi ciascuno) dei dodici segni e dai pianeti posizionati in essi (capitolo 3).

In più ci sono le case astrologiche: ovvero questo cerchio è diviso in dodici case (di grandezza diversa, a meno che tu non sia nato all'Equatore) e a ciascuna casa (di nuovo) vengono legati dei **concetti simbolici**, che richiamano quelli dei dodici segni zodiacali (capitolo 4).

Ok? Prendi fiato e bevi (acqua).

Adesso dobbiamo fare una grossa suddivisione interna, e ogni volta che la spiego mi sembra che mi spuntino gli occhialini sul naso e la cipolla nei capelli, ma è doverosa se no non capiamo più una fava.

Allora: l'astrologia è un linguaggio di simboli antichissimo che ci fornisce dei significati per interpretare gli astri nel cielo. La base è conoscere tutti questi simboli in tutti i loro svariati aspetti e declinazioni a menadito: come le tabelline, le capitali del mondo e le canzoni di Vasco.

Con l'astrologia possiamo quindi interpretare i temi natali (di persone, animali, cose ed eventi) ovvero leggere le loro caratteristiche intrinseche. Tutta la prima parte era rivolta a questo (caso mai ti fosse sfuggito!).

Poi, sempre con l'astrologia (quindi con gli stessi simboli) possiamo fare l'oroscopo, ovvero delle **previsioni**. Ed eccoci alla seconda parte. Qui andiamo via più veloci... monta in sella che sgommo.

L'oroscopo ha una base che si chiama **radix, ovvero il tema natale di partenza** che viene messo a confronto con gli stessi dieci pianeti per come si muovono in un determinato periodo (oroscopo del giorno, della settimana, del mese, dell'anno...) controllando quali aspetti fanno i pianeti in transito verso il tema natale radix.

Cioè (lo so che sono pedante, ma voglio che questa cosa sia chiara come un cartello in autostrada prima che mi spariscano come per magia la cipolla nei capelli e gli occhialetti sul naso): se voglio fare l'oroscopo del giorno, so dove (in che segno e in che gradi) sta messa Venere (ad esempio) oggi e quindi deduco a quali Soli è a favore e a quali a sfavore. Se Venere è in Cancro è a sfavore di chi ha il Sole in Capricorno e a favore di chi ha il Sole in Scorpione. Ma questo te lo spiego dopo, adesso mi importa che tu abbia capito bene la base.

Poi (e qui apro una parentesi polemica): dato che oramai avrai capito bene che la sola posizione del nostro Sole di nascita è molto (ma molto!) riduttiva rispetto all'intero tema natale che ci descrive e rappresenta, allora sarà facile capire quanto sia superficiale (non sbagliato eh, superficiale, approssimativo) un oroscopo che consideri solamente la posizione del nostro Sole di nascita. Almeno le decadi, per Giove! Quindi (e qui la parentesi polemica la chiudo) non è che gli oroscopi ci beccano oppure no, è che per sapere se l'astrologo ci azzecca oppure no tu dovresti farti fare (o farti da te, adesso che sai!) l'oroscopo personalizzato: ovvero valutare la posizione di tutti i pianeti in transito in un periodo, rispetto a tutti (tutti!) i pianeti del tuo tema natale nella loro posizione specifica (segno, gradi, aspetti). In più la sensibilità di un astrologo è anche quella di saper dare il giusto peso a un transito che può essere in armonia con il tema natale oppure spiazzante. Chi ha tanti pianeti in Scorpione sente meno un Saturno contro che invece sconvolge ma è anche più utile a un Pesci. Ma ci arriviamo, non avere fretta!

E adesso so che hai una domanda e stai per alzare la mano: ma come cavolo faccio a sapere ogni giorno dove stanno i pianeti in transito? Facile: esistono le **effemeridi** (ricordi? pagina 99), ovvero delle tabelle che ti dicono ogni giorno in che segno e a quanti gradi sta ciascuno dei dieci pianeti. Le trovi on-line o in alcune app o addirittura esistono diversi software, ma è roba da astrologi secchioni. Io uso una app semplice e chiara che si chiama I-Phemeris. Vedi tu, tanto non è un'opinione ma una tabella come quella degli elementi sul libro di chimica.

Ah, giusto per togliersi una curiosità: le effemeridi risalgono alla notte dei tempi e vanno all'infinito.

Nelle effemeridi, oltre alla posizione di ciascun pianeta in ogni momento, trovi altre informazioni importanti, come le **soste** dei pianeti: sia chiaro che le soste dei pianeti sono apparenti e dipendono dal fatto che noi li guardiamo dalla Terra (l'astrologia è geocentrica, non dimenticartelo mai!). Quindi succede che ogni tanto i pianeti invece che continuare dritti il loro percorso sembra che si fermino, tornino indietro di qualche grado (anche 15!) e poi ripartano. Anche i pianeti veloci possono oscillare su alcuni gradi accanendosi nello specifico su alcuni, come quando ti trovi bene in un bar e ci vorresti andare anche per il canarino prima di dormire! Così. Le soste sono importanti per i gradi dei segni interessati. Nell'estate 2019 Giove ha fatto una sosta nel segno del Sagittario tra il grado 14 e il grado 24. Quindi chi ha il Sole (ad esempio) nei gradi da 14 a 24 del segno dei Gemelli ha sentito gli effetti faticosi di Giove opposto molto di più di chi ha il Sole ai primi gradi dei Gemelli che li ha accusati brevemente e in modo più superficiale.

Nel momento in cui un pianeta, dopo aver fatto una sosta, torna indietro, si dice che il suo moto da diretto diventi **retrogrado**. Sui pianeti in moto retrogrado se ne è dette di ogni, anche se io seguo la scuola di Marco Pesatori che non vi dà grande peso. Per molti astrologi un pianeta in moto retrogrado diventa più debole, faticoso e "malefico" nelle sue caratteristiche. Secondo me, soprattutto nel transito, il moto retrogrado è meno forte del primo

moto. Cioè oscillando perde di intensità e potenza anche se, chiaramente, prolungando il tempo di sosta è più difficile da sopportare (se lo si ha a sfavore).

Ripassiamo anche un'altra cosa prima di partire. Come ci sono degli aspetti che legano i pianeti del tuo tema natale tra loro (capitolo 5, congiunzione, sestile...), questi stessi aspetti legano i pianeti in transito con quelli del tuo tema natale.

Quindi *prendi il tema natale e disegnaci dentro, in mezzo ai tuoi pianeti, i dieci pianeti per come sono nel momento in cui vuoi fare l'oroscopo*. Gli aspetti che formano i pianeti in transito con i pianeti del tuo tema natale sono quello che devi leggere per fare l'oroscopo.

Rivediamo gli aspetti veloci veloci come una doccetta prima di uscire.

Congiunzione: il pianeta in transito che si appoggia, si congiunge, al pianeta del tema natale radix è come se riversasse tutte le sue energie su di esso. Quindi per capire se questo transito sia bene o male, così come nella congiunzione nella lettura del tema, dobbiamo considerare la natura dei due pianeti, gli altri aspetti che si formano contemporaneamente e infine che l'indole della persona sia affine o meno a queste energie. In generale però è più un transito positivo che non negativo. Almeno secondo la mia esperienza.

Sestile: il pianeta in transito si trova a 60 gradi dal pianeta radix. È un transito favorevole, cioè i due pianeti si influenzano beneficamente a vicenda.

Quadrato: il pianeta in transito si trova a 90 gradi dal pianeta radix. È un transito di difficoltà, nel senso che i due pianeti si ostacolano, stridono, si ringhiano contro come due bulldog maschi.

Trigono: il pianeta in transito si trova a 120 gradi dal pianeta radix. È un transito particolarmente favorevole, il più favorevole di tutti. In questa posizione i due pianeti uniscono le loro forze e si danno vicendevolmente energie positive.

Opposizione: il pianeta in transito si trova a 180 gradi dal pianeta radix. È il transito più faticoso perché le forze dei due pianeti, il radix e quello in transito, si oppongono, non si capiscono, si trovano il più lontano possibile l'uno dall'altro. Si sfidano e il pianeta in transito usa tutta la sua forza contro il pianeta ricevente.

Anche qui valgono le tolleranze di 5 gradi per i pianeti veloci e di 3 gradi per i pianeti lenti e semilenti.

Adesso però vediamo, pianeta per pianeta, che cosa comporta averli in transito, a favore o sfavore. Quindi, quelli qua sotto sono i pianeti in transito che vanno considerati rispetto ai pianeti del nostro tema natale. Appunto importante, anche se te l'ho già detto in tutte le salse (ma io ho la Venere in Vergine e sono ripetitiva): del nostro tema natale è bene considerare i pianeti che sono più veloci, perché sono quelli che ci rappresentano di più. Consideriamo quindi il Sole (ovvio!), l'Ascendente (ma se sei attento mi dirai che non è un pianeta. Fa niente, è importante lo stesso), la Luna, Mercurio, Venere e Marte. Ok? Gli altri no.

È ovvio che ciascuno dei nostri pianeti radix (del nostro tema natale) mantiene il suo ambito di influenza. Quindi se Giove in transito (la fortuna) è a favore della nostra Venere, farà bene all'amore e troveremo il fidanzato, mentre se è a favore del nostro Mercurio siamo più geniali e fluidi nel pensiero e nel lavoro. Era scontato, ma non si sa mai.

Ripetiamo in breve le zone di influenza di ciascun pianeta (anche se li trovi tutti per bene al capitolo 2 della prima parte del libro):

- SOLE: il nostro io più completo;
- LUNA: la nostra parte intima, emotiva, femminile, sensibile e profonda;
- MERCURIO: il pensiero in tutte le sue forme e le attività a esso legate;

- **VENERE**: l'amore, la dolcezza, la bellezza in tutte le sue accezioni, non solo verso il partner ma in tutti i rapporti personali che hanno a che fare con i sentimenti, compreso quello con se stessi;
- **MARTE**: le energie, l'eros.

Ora siamo pronti.

GLI ASPETTI DEI PIANETI IN TRANSITO: I PIANETI VELOCI

La **Luna**, come oramai sai meglio di chiunque altro, è velocissima, quindi capita spesso che sia a favore o contro. La famosa "Luna storta". E non serve neanche scomodare la sindrome premestruale, dato che astrologicamente abbiamo un'ottima scusa! La Luna porta emotività e le risveglia, soprattutto se forma aspetti con il Sole, con la Luna o con Venere.

Anche a favore può portare a momenti di introspezione che si rivelano tristi, ma è comunque una bella spinta emotiva e quindi interiore.

Di sicuro la Luna quando è in posizione di Luna storta (quadrata o opposta) ci rende invece davvero nervosi, irritabili. Dura poco eh, e se ci va bene ce la becchiamo mentre stiamo dormendo. Diciamo

che essendo veloce è davvero questione di poche ore ogni volta.

Mercurio è il pianeta del pensiero in tutte le sue forme. Ti capita mai di avere qualche giorno in cui il tuo cervello sembra avere la saracinesca abbassata come il tabaccaio di domenica senza neanche il distributore automatico? Ecco: sarà stato un transito di Mercurio a sfavore. Di contro, sarà anche capitato di avere dei giorni in cui sei più brillante, le parole e le battute di spirito ti saltellano sulla punta della lingua, riesci a dire proprio quello che avevi in testa preciso preciso senza annebbiamenti e tutte le attività del pensiero ti vengono più facili.

Tieni da conto due cose però: Mercurio è veloce (a meno che non sia in sosta: fa tre soste all'anno e durante queste soste diventa fastidioso, se ti si piazza a sfavore) e lo senti tanto soprattutto se fai un lavoro in cui la comunicazione e il pensiero sono davvero importanti. Altrimenti "ti scivola", come si dice a Milano.

Io che lavoro principalmente scrivendo testi devo stare molto attenta sia a Mercurio in transito sia ai transiti dei pianeti verso il mio Mercurio radix. Quando è in corso un bel transito di Mercurio il lavoro che di solito faccio in due ore riesco a farlo in mezz'ora, al contrario con Mercurio a sfavore ce ne potrei mettere anche sei!

Anche **Venere** è veloce, quindi no panic. Venere ovviamente riguarda l'amore e tutte le emozioni legate ai rapporti. Indica anche la pazienza e la voglia di farsi belle. Venere a favore ci rende belle (o meglio, ci fa sentire belle - e lo dico soprattutto alle donne -, perché in realtà lo siamo sempre!), ci mette di buonumore, ci rende pazienti con gli altri, ci fa fare le coccole a chi amiamo e stare attenti a cucinare il piatto preferito del nostro partner. Insomma, in generale Venere a favore fa bene anche alla salute. Quando è a sfavore, in compenso, ci rende allergici a ogni esemplare del genere umano, ci infastidiamo, vogliamo stare da soli, ci vediamo brutte e sciupate - ancora, soprattutto le donne - come uno straccetto della polvere dopo le pulizie di primavera. Siamo meno pazienti e più mal disposte verso gli altri e le emozioni sono espresse con la delicatezza di una ruspa da campo.

Marte è un pianeta un po' più veloce, ma nemmeno poi tanto. E Marte si sente, eccome, soprattutto quando lo abbiamo a sfavore. Una nota importante prima che mi dimentichi: Marte si sente per quattro-cinque giorni (a meno che non sia in sosta) prima che sia davvero in aspetto perfetto. Anticipa le sue energie. Marte a favore ci rende sicuri, spavaldi, energici e molto attivi. Impavidi insomma. E vogliosi (per fare l'oroscopazzo su Radio Deejay mi baso principalmente sulla posizione di Marte).

Marte a sfavore invece ci rende ipersensibili, con il dito medio sempre pronto a essere sfoggiato come un diamante e, senza nemmeno pensarci troppo, siamo pronti a sbuffare e sbottare peggio dello scoppiettio di un vecchio Ciao. Per colpa di Marte ci sentiamo stremati, stanchissimi e il nostro più audace desiderio erotico è pomiciare con il cuscino per otto ore di fila. Di sesso non se ne parla. Una cosa importante: Marte a sfavore (o ancor di più Marte che fa aspetti con Marte o con la Luna) ci porta a essere distratti e quindi a poter incorrere in errori di disattenzione, come incidenti e rotture.

Ogni due anni Marte fa una lunga sosta: chi la becca ha i valori di cui sopra e li sente tutti, come se tutto l'Olimpo si fosse accanito su di lui. Ma poi passa, eh!

GLI ASPETTI DEI PIANETI IN TRANSITO: I PIANETI SEMILENTI

I transiti dei pianeti semilenti iniziano ad avere una certa importanza perché, appunto, sono più lenti, durano di più. Soprattutto per chi è interessato da una loro sosta.

Ti ricordo che Giove sta in un segno per un anno circa (e per questo viene spesso preso dagli astrologi come punto di riferimento per definire quale sia il segno fortunato dell'anno) e che Saturno sta in un segno per due anni e mezzo circa.

ATTENZIONE: adesso che hai capito che esistono i gradi, non è che mi dici: «Io ho Saturno contro da due anni», vero? Perché è chiaro che Saturno sta in Capricorno (adesso, ad esempio) ma becca ogni anno un pezzo di segno (e degli altri segni) mica tutti per due anni e mezzo di fila. Giusto? Se non è chiaro ti retrocedo al primo capitolo, ma mi fido di te!

Avere **Giove** a favore significa avere un periodo di fortuna, di benessere, in cui ci sentiamo vitali e stiamo bene con noi stessi e con gli altri. Possiamo prendere anche qualche chilo dato che stiamo bene e stappiamo bottiglie come ci mangiamo una cuticola. Ah, Giove a favore ci rende le cose facili e ci sentiamo ottimisti, tanto che qualche volta stacchiamo assegni manco fossimo le fidanzate di un magnate russo. Le cose sembrano andare davvero tutte lisce: se Giove è a favore di Venere sarà soprattutto in amore, se è a favore di Marte saranno le energie eccetera. Invece Giove a sfavore ci crea problemi economici, ci stanca e ci fa sentire inadeguati, ci fa dubitare di tutti e ci fa venire voglia di fidanzarci solamente con Netflix. Se con Giove a sfavore abbiamo delle situazioni "pending", difficilmente si risolveranno e difficilmente si risolveranno positivamente.

Saturno. Eccolo qua. Lo so che hai letto tutte queste pagine per arrivare a questo punto. A Saturno contro, che grazie a Ozpetek è diventato l'incubo peggiore dopo il serial killer nella doccia. Saturno contro esiste e di sicuro prima o poi te lo becchi, statisticamente ci sono più probabilità rispetto al serial killer. Io sono della scuola per cui Saturno contro fa bene, ma so che se ce l'hai davvero contro mentre leggi queste mie parole giustamente mi insulterai a cascata. Saturno porta a galla in modo evidente le problematiche che abbiamo fatto finta di non vedere prima e ci costringe a guardarle negli occhi, a scegliere, a decidere. A rompere, se necessario, o a cambiare. Saturno fa paura perché è un pianeta "malefico", come dicevano gli antichi, un pianeta dei fatti concreti che non si occupa o preoccupa delle emozioni, ma piuttosto si impone con durezza.

Jung (lo psichiatra) diceva: «Quando un fatto interiore non viene reso cosciente, si produce fuori, come destino». In altre parole, Saturno non fa altro che portare a galla dei problemi che ci sono e che noi dobbiamo affrontare. Tant'è che più ci evolviamo (negli anni) e diventiamo lucidi nella nostra vita, tanto meno potere ha un Saturno a sfavore. Saturno contro distrugge chi per troppo tempo non si guarda dentro, chi ha paura di aprire gli occhi e di cambiare, chi crede che stringendo i denti si mantenga una stabilità sicura. Ecco, è in quel caso che Saturno deve fare paura come l'assassino dietro alla tenda della doccia in *Psyco*. Ma, se ti ricordi bene il film di Ozpetek, ti ricorderai anche che alla fine, dopo lo shock, la rottura e il tormento ci si rende conto che si sta bene, che i cambiamenti ci hanno liberati e fatti andare verso la giusta direzione. Forse bruscamente, si sa: Saturno non è famoso per le buone maniere!

Ci tengo a dirti però che Saturno può anche essere a favore, e in questo caso porta determinazione, situazioni stabili e durature, progetti solidi e maturi, prese di posizione coscienziose anche dal punto di vista lavorativo.

I PIANETI LENTI CAMBIANO CASA NEL TEMA NATALE. QUINDI?

Una chicca che mi porto dietro da Pesatori (ma che riprendono anche la Morpurgo e molti altri): prendiamo il nostro tema natale e disegniamoci dentro i pianeti lenti per come sono in un determinato momento. Urano nei primi gradi del Toro, Nettuno a metà dei Pesci e Plutone nella seconda metà del Capricorno. Quando uno di questi tre pianeti lenti, inserito nel nostro tema natale (con la sua propria suddivisione delle dodici case astrologiche), entra in una nuova casa è un momento di rivoluzione.
Esempio: io ho lasciato il mio lavoro tradizionale per fare ufficialmente l'astrologa quando Plutone è passato dalla decima casa (il lavoro rigido e standardizzato) all'undicesima casa (le novità, le scommesse, le vie non convenzionali).
Tieni d'occhio questa cosa!

GLI ASPETTI DEI PIANETI IN TRANSITO: I PIANETI LENTI

Eccoci ai tre pianeti lenti che, per lo stesso motivo per cui li avevo considerati poco nella lettura della personalità attraverso il tema natale, adesso, nei transiti, diventano importantissimi. Muovendosi lentamente interessano pezzettini piccoli (pochi gradi) di ogni segno alla volta (anche solo 2 gradi all'anno) e quindi quando formano un aspetto con uno dei più importanti pianeti del tema natale radix lo tengono per tanto tempo.

Per questo, secondo Pesatori, i transiti di questi tre pianeti sono sempre rivoluzionari e, anche se all'inizio possono sembrare distruttivi, in realtà sono un passo importante per un'evoluzione. In più, è ovvio, sempre per gli stessi motivi, questi tre pianeti sono poco considerati negli oroscopi generici (perché la loro forza dipende troppo dai gradi in cui cade il pianeta considerato) e possono essere valutati solamente con un oroscopo personalizzato.

Urano non ce le manda mica a dire, praticamente prende la realtà della nostra vita e la trascina via come se ci togliesse un tappetino del bagno da sotto ai piedi. Urano sconvolge e stravolge ogni realtà e ogni certezza. È un pianeta molto legato al lavoro, soprattutto quando è a favore. I cambiamenti drastici e spesso evidenti nella vita reale e quotidiana li viviamo come un'esplosione vitale e vigorosa di novità e fortune che piovono dal cielo, oppure come una ghigliottina, se sono sfavorevoli. In ogni caso abbiamo un cambiamento scioccante della nostra vita. Urano a favore o contro il Sole, la Luna, Venere o Mercurio segue le regole degli ambiti d'azione di ciascun pianeta ricevente. Quando però ha a che fare con Marte le cose un po' si complicano, essendo due pianeti entrambi molto, ma molto energici. Per questo l'esplosione può portare anche ad azioni sconsiderate, colpi di scena, botti modello bottiglia

COS'È LA RIVOLUZIONE SOLARE?

Questa cosa della rivoluzione solare me la chiedete sempre in tanti, quindi ve la spiego bene.
È un modo per fare l'oroscopo che si affianca al modo tradizionale (non lo sostituisce, diciamo che resta secondario a livello di importanza).
Ogni anno il Sole si trova di nuovo nella stessa posizione del nostro Sole di nascita (segno e grado preciso). Ovviamente cambia in base a dove ci troviamo noi in quel momento. Cioè se il mio Sole è a 1° 20' del segno dello Scorpione, ogni anno si ritroverà nella stessa posizione in due momenti diversi a seconda che io mi trovi a New York o a Melegnano. Proprio come per il tema natale. Ecco, considerando dove siamo noi, proprio in quel momento creiamo un nuovo tema natale, come se rinascessimo di nuovo. Il nuovo tema natale avrà il Sole nella stessa posizione del nostro Sole di nascita ma tutti gli altri pianeti, compreso l'Ascendente, in segni e case diverse.
Di solito il Sole ripassa sul Sole di nascita lo stesso giorno del nostro compleanno, come è ovvio! Quindi la rivoluzione solare, per intenderci, è un tema natale che va dal nostro compleanno al compleanno successivo e che ci racconta come vivremo questo anno.
Si cerca, se possibile, di non sovraccaricare di pianeti case già in difficoltà rispetto alla vita della persona e di non mettere Sole e Luna in posizioni scomode (ad esempio in dodicesima casa).
Tutto qua.
Per "manipolare" questa rivoluzione solare molte persone vanno a compiere gli anni in posti assurdi. Questo perché cambiando il posto in cui compi gli anni modifichi leggermente la rivoluzione solare. Ecco, io non sono d'accordo, salvo casi estremi. Nel senso che non si scappa dagli astri, ma li si affronta perché sono un po' come la prof di matematica che anche se salti il compito poi ti interroga. Capito?
Una volta che si ha in mano la rivoluzione solare e la si legge come fosse un tema natale della persona in quei dodici mesi, si può anche far "progredire" l'Ascendente (che sarà ovviamente diverso dal nostro Ascendente di nascita). Quindi ogni giorno corrisponde a un grado e l'Ascendente si sposta avanti lungo il tema di rivoluzione solare di un grado al giorno. Così vediamo, in base agli aspetti che l'Ascendente camminando va a fare con i pianeti del tema natale di rivoluzione, quali saranno i periodi più intensi. Ma se non hai capito niente, non ti preoccupare!

di champagne dimenticata nel freezer. Urano è temuto da chi lavora sodo per costruirsi una stabilità, quindi di solito da chi ha tanti segni di terra nel tema natale. Spesso è legato (in negativo) anche agli incidenti.

Nettuno è un pianeta che vive nella mente. Ideali, idealizzazioni, forme. È un pianeta che se si trova a favore ci apre al mondo, all'amore cosmico, ci porta a rivalutare aspetti della vita meno terreni e pratici ma molto più alti e legati all'anima. Con Nettuno a favore diamo il via a grandi progetti, ci infatuiamo, perdiamo la testa, inseguiamo i sogni, ci apriamo al bene dell'anima, ampliamo le nostre visioni.

Con Nettuno a sfavore queste visioni crollano sotto il peso del mondo reale, della delusione, della disillusione e del fallimento. Un Nettuno faticoso ci porta a perdere il contatto con la realtà e a rifugiarci in droghe o crisi di nervi. Spesso i grandi eventi portati da Nettuno (a parte le grosse crisi psicologiche) non sono evidenti all'esterno, si svolgono cioè tutti nella nostra mente, nel nostro io più profondo.

Plutone è un pianeta viscerale e travolgente, profondo e potentissimo. È il pianeta della rinascita, quando è a favore, e del "toccare il fondo" quando è a sfavore. In tutti i casi ha in sé il seme della rivoluzione personale.

Avere Plutone a favore indica il ritrovare sicurezza, il rimettersi in gioco, il ricominciare a sentirsi come esseri passionali e istintivi, potenti fin nel profondo del sentire.

A sfavore ci getta nell'insicurezza, fa venire a galla scandali e falsità, ci fa perdere sicurezza in chi siamo e nella nostra indole più intima. Ci toglie passione e quindi ci svuota. Vaghiamo senza sapere dove stiamo andando e qualsiasi strada sembra non avere uscita. In questo caso il tormento è interiore, ma di solito evidente anche dall'esterno. Prendiamo delle posizioni dettate dalla disperazione. Ma quando ci rialziamo siamo più forti di quanto non siamo mai stati.

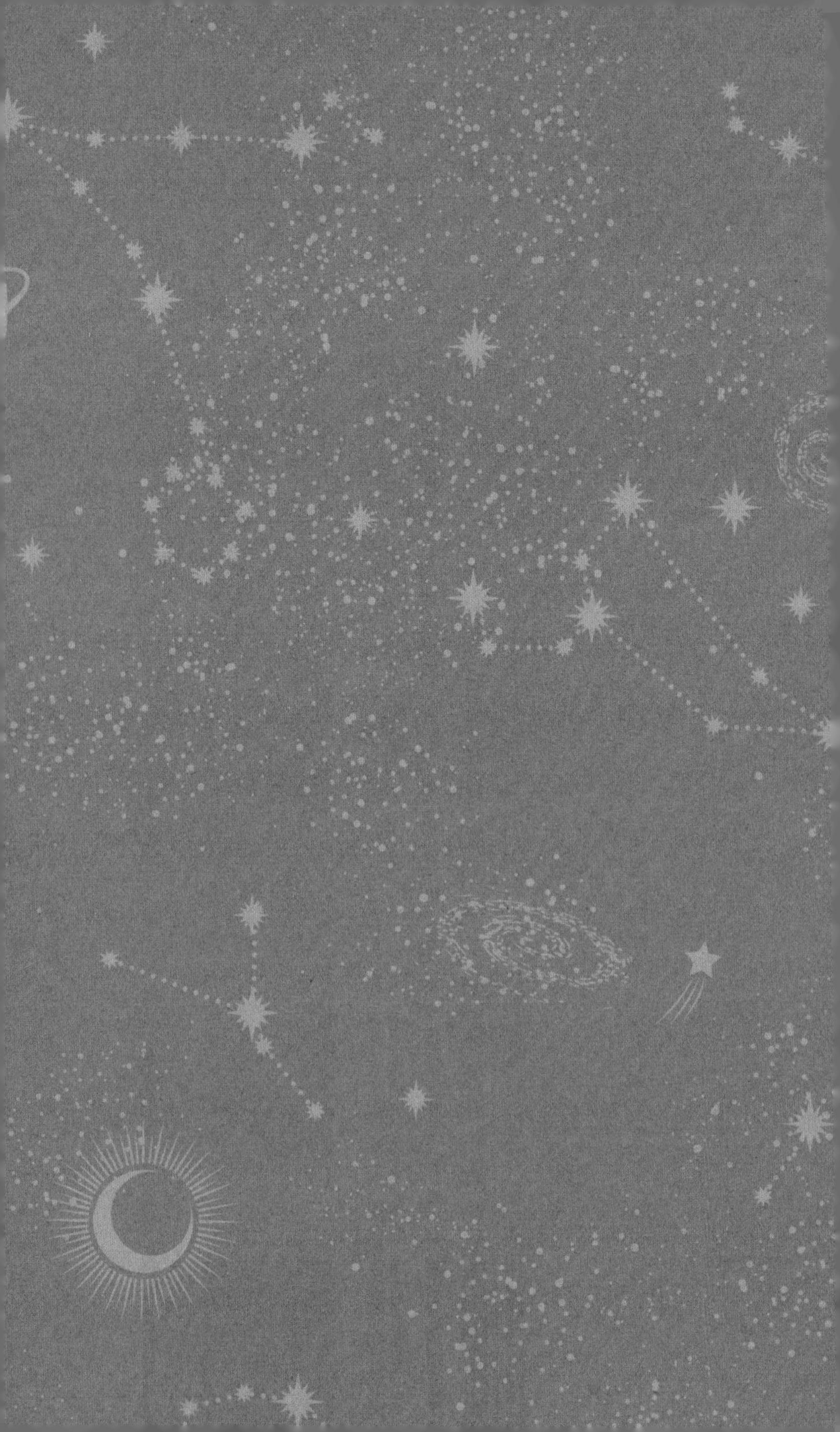

Parte seconda

OROSCOPO 2020

CAPITOLO 7

IL TUO ANNO SEGNO PER SEGNO

Caro mio, eccoci qua. A mettere in pratica tutto quello che abbiamo imparato. A tirare fuori la torta dal forno e a farla assaggiare al critico culinario magro magro col nasone, come quello del topino Ratatouille.

Pronto?

Adesso tocca mettere insieme tutte le informazioni, andarle a ripescare nella tua testolina, negli appunti o nell'indice di questo libro. Ma procediamo, di nuovo, con ordine.

Per prima cosa bisogna vedere **dove stanno i pianeti nel 2020**. Dato che parliamo dei dodici mesi, diciamo che i pianeti veloci (Sole, Luna, Mercurio, Marte e Venere) saranno considerati solamente nelle loro soste. Se no non ne usciamo più... e anche perché se ti dico tutto subito, poi cosa cavolo faccio ogni giorno del prossimo anno?

Quindi, quando si fa un oroscopo annuale, **si dà importanza ai pianeti semilenti e lenti**, più che a quelli veloci, dei quali si citano gli effetti soprattutto durante le soste.

Partiamo con un po' di info tecniche, di quelle che si trovano spulciando per benino le effemeridi come fossero i numeri sulle Pagine Gialle (te le ricordi, le Pagine Gialle? Io ci passavo ore a cercare i numeri del telefono – di casa, ovviamente – di ragazzi conosciuti per caso. Ma si parla di un secolo fa!).

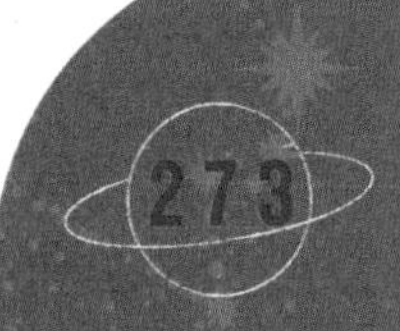

INFO TECNICHE, ASTROLOGICAMENTE PARLANDO

Plutone sta in Capricorno. Terza decade. E da qui chi lo smuove?! A gennaio si trova al 22° e tira dritto fino a maggio arrivando al 24°. Qui si ferma, sia mai che corra troppo! Ritorna indietro fino al punto di partenza (22°) come al gioco dell'oca e a ottobre si rimette in sesto. Alla fine del 2020 si trova al 24°. Praticamente, in un anno ha fatto 2 gradi. Quando si dice prendersi i propri tempi!

Nettuno sta in Pesci. E questa cosa gli piace parecchio. Nel 2020 interessa la seconda decade. Parte al 16° e a luglio si trova al 20°. Lì si ferma e inizia un moto retrogrado che lo riporta fino al 18° a dicembre, quando torna diretto per festeggiare la fine dell'anno.

Urano è entrato in Toro nel 2019, creando un certo scompiglio, e lì è ancora. Nel 2020 interessa la prima decade perché inizia a gennaio al 2°, arriva fino al 10° ad agosto dove inchioda e torna indietro, come quando ti accorgi di aver dimenticato il cellulare a casa. Finisce l'anno ancora retrogrado, al 6°. Sempre del Toro.

Saturno sta in Capricorno, e fin qui ci siamo. Anche perché Saturno in Capricorno ci sta comodo comodo. A gennaio sta a 21° del segno del Capricorno ma, a differenza della sua natura lenta, si sposta velocemente e da marzo a giugno finisce con un piedino nei primi 2 gradi del segno dopo, quello dell'Acquario. A luglio

rientra alla base e finisce a dicembre alla fine del Capricorno, appena appena in Acquario. Quindi, insomma, la terza decade del Capricorno si becca Saturno, sì, ma meno accanito delle prime due. Fortunelli.

Come sappiamo, **Giove** alla fine del 2019 è passato da Sagittario a Capricorno. Si fa tutta la prima parte nel segno del Capricorno. A gennaio sta già al 6° e a metà maggio al 24°. Lì però si ferma, come all'autogrill, e fino a settembre torna indietro (moto retrogrado) fino al 17°, sempre del Capricorno però, eh. Insomma, alla fine di dicembre 2020 lo troviamo a 2° del segno dell'Acquario, entrato da poco.

Marte, come ogni due anni, nel 2020 fa una lunga sosta nel segno dell'Ariete, dove sta da luglio a dicembre. Più che altro si ferma sui gradi dal 15° al 28°.

Una sosta la fa anche **Venere** nel 2020 e la fa nel segno dei Gemelli, interessando dal 5° al 21° nel periodo tra maggio e giugno.

Mercurio le sue tre soste quest'anno le fa nei tre segni d'acqua. E precisamente: nella prima decade dei Pesci tra febbraio e marzo, dal 5° al 14° del Cancro tra giugno e luglio, nella prima decade dello Scorpione a ottobre.

Se sei una persona attenta (e lo sei, sono sicura!) avrai notato che nel 2020 ci troviamo ad avere un sacco di pianeti nel segno del Capricorno.

Ecco, aggiungo una cosa: i gradi interessati sono quelli dal 22° del Capricorno fino al 1° dell'Acquario, con tutti i trigoni, i quadrati, i sestili e le opposizioni che comporta.

Non ti nego che gli astrologi sono un po' spaventati da questa situazione globale: non dimenticarti che il Capricorno è l'autorità indiscussa, la chiusura, il conservatorismo, la rigidità delle regole, l'indipendenza autarchica e non collaborativa, l'imposizione del proprio potere. Insomma, diciamo che a livello sociopolitico non promette proprio benissimo... i poteri forti cercheranno di schiacciare le minoranze e limitare le libertà per imporre il proprio volere.

AVVERTENZE

Dato che adesso sei un astrologo in erba, facciamo un lavoro fatto per benino...

Per prima cosa ti vai a leggere il capitoletto (segno e decade) che si riferisce alla posizione del tuo Sole (io che sono nata il 24 ottobre andrò a leggermi la prima decade dello Scorpione). Questo perché da che mondo è mondo si fa così e non vorrei scomodare i Babilonesi cambiando le regole proprio adesso che ci eravamo tutti abituati. E poi perché il Sole è il pianeta più importante del nostro tema natale.

Però, e dico però!, subito dopo ti segni per bene dove stanno, nel tuo tema natale, Ascendente, Luna e Venere. Segno e decade. E ti vai a leggere anche questi. Metti tutto insieme come nell'impasto della pasta frolla e mescoli per bene per evitare che si facciano grumi.

Ovviamente (ma che te lo dico a fà!) in questi passaggi ricordati che stai leggendo la descrizione che si riferisce a diversi aspetti della tua personalità: Venere è l'amore (e fin qui!); l'Ascendente il tuo io pubblico e quotidiano, da intendersi anche fisicamente; la Luna la tua parte più intima, profonda e istintiva. Ti tocca fare sforzi interpretativi eh!? Ma tranquilla, la tua astrologa mica ti lascia sola!

Un'ultima cosa (ma non per questo meno importante eh!), ho pensato di darvi due dritte su possibili incontri e scontri amorosi per il nuovo anno, li trovate nella sezione "In Love with..." alla fine di ogni segno. E qui una breve legenda per chi volesse anche solo con una sbirciata farsi un'idea della temperatura di coppia segno per segno.

 amore

 erotico

 odio

 friendzone

ARIETE

PRIMA DECADE, DAL 20 AL 30 MARZO

Con Giove l'hai scampata facile. Un po' come al tuo solito l'hai guardato negli occhi e lui ha fatto il suo dovere, come un ausiliare della sosta ma con la testa bassa e la coda fra le gambe tipica di chi non vuole problemi. Fa il suo di corsa e se ne va. Insomma, nel giro di meno di due mesi (e qualche giorno di gennaio per qualcuno, ma poca roba) ti sei tolto di torno scocciature, sensazione di non essere all'altezza (tu??? come hai potuto pensarlo???) e svogliatezza da sbuffo feroce. Poi non si sta mica così male, per fortuna! Anzi, a fine maggio

ti godi anche una bella sosta di Venere a favore, così inizierai la prossima estate zompettando come un'apetta in cerca di amore, pronta e depilata fin dalla primavera. Come dire: sarai una delle poche a non farsi trovare impreparata alla prova costume, tanta è la voglia di fare e strafare in questa stagione dalla grande libertà. I nati nei primi due giorni (ma solo loro, non si discute!) iniziano anche a sentire un bell'Urano che smuove l'aria come quando la mamma apre le finestre di tutta la casa per fare corrente dopo aver fritto le melanzane. Aria fresca e nuova, piena di sorprese che ti piacciono tanto. In generale i nati in questi primi due giorni assaggiano il piacere della sensazione di avere un sacco di opportunità e di poterle scegliere come i pasticcini in pasticceria!

SECONDA DECADE, DAL 31 MARZO AL 10 APRILE

L'anno inizia con Giove che ti dà fastidio a febbraio e poi di nuovo da agosto a ottobre. In questi mesi non guardarti troppo allo specchio, ma soprattutto non prendere decisioni drastiche sulla tua immagine. Non mangiare per sfogare l'incazzatura contro un partner che fa lo stronzetto. Non spendere come se fossi Paris Hilton in tempo di saldi. Ecco, calma. Giove quadrato stanca e snerva so-

prattutto chi, come te, è abituato a volere tutto e subito e soprattutto senza discutere troppo. I nati dal 5 al 10 aprile si godono però un bel Marte e anche una bella Venere in sosta che rimettono in sesto un guardaroba da ballerina di lap dance anche dopo il passaggio di Giove. Insomma, diciamo che il tuo 2020 sarà un anno in cui ti sentirai di surfare sulle sfighe (di Giove), ma con un surfista californiano single e interessato come insegnante. Grazie al favore di Marte e Venere, insomma, alla fine te la cavi bene! Che poi tu non sei mica uno che ricerca la stabilità noiosa e predefinita da plan settimanale che si ripete come lo schema della dieta ipocalorica! Hai voglia e bisogno di movimento... e ne avrai, stai sicuro!

TERZA DECADE DALL'11 AL 19 APRILE

Ariete, siediti. Dobbiamo parlare.

Plutone, Saturno e pure Giove sembra si siano accaniti contro di te. Malefici! Succede che tutti insieme in questo 2020 hanno rimostranze, domande, recriminazioni e persino lamentele scritte da fare nei tuoi confronti. Verranno a galla come braccioli i problemi che, spesso, da buon Ariete concentrato su ciò che vuole, hai chiuso a chiave nello sgabuzzino degli attrezzi senza prestargli la minima attenzione. Ecco, adesso questi stessi escono tutti insieme che manco alla festa di paese. Ti chiedono conto di un serie di decisioni pratiche, emotive, logistiche e sentimentali cui sarebbe stato il caso di iniziare a pensare da tempo. Ok, che tu l'abbia fatto o no, siamo sempre in tempo a iniziare, ma adesso dobbiamo darci dentro come quando inizi a pensare alla cena di Natale solamente il 24 pomeriggio. Per prima cosa serve smarcare Saturno, che pone domande alle quali è bene rispondere rispolverando tutta la tua maturità interiore, ma non è possibile fare questo senza ascoltare Plutone e i sentimenti più profondi che va a risvegliare nella cantina del tuo cuoricino. Per fortuna sei un Ariete, e farti sentire inadeguato è davvero difficile: smettila di cercare l'approvazione da fuori e usa la tenacia da spadaccino per punzecchiare te stesso, prima di tutto. Ok? Se hai bisogno chiamami!

Ma guardando i transiti dei pianeti veloci vediamo...

MESI WOW E COME SFRUTTARLI

Praticamente tutti, da aprile in poi, con un'impennata a luglio e agosto.
Insomma, Arietone, non hai davvero nulla di cui lamentarti e persino tutto il tuo cinismo difensivo dovrà sciogliersi in baci, abbracci, coc-

cole e persino pensieri a due di lunga durata. Sarai mica matto! Tutto merito di Marte e Venere che faranno soste lunghe a tuo favore. Venere si ferma in Gemelli, che per te è in sestile e quindi a favore, mentre Marte, il tuo amato pianeta delle energie, si ferma per ben sei mesi proprio sopra di te, tanto che alla fine gli farai pagare la tarsu. Diciamo che proprio in questi mesi il tuo decisionismo sarà incontenibile e per Saturno quadrato non ci sarà scampo.

MESI FLOP E COME SOPRAVVIVERE

Marzo. Solo Marzo. Credi di potercela fare??? Ma sì dai. In quel mese goditi la sonnolenza dello stare a poltrire sotto al piumone e la voglia di usare le tue ultime energie per uccidere tutti... perché qualche volta desiderare uno sterminio di massa fa bene per riequilibrare i pesi tra indipendenza e affetto!

IN LOVE WITH...

Se siete anche della stessa decade, magari della terza, in effetti potrebbe essere un casino... Ma diciamo che in generale anche quest'anno tra due Ariete vale la stessa regola: con un po' di sano sesso si sistema tutto. Ovviamente l'Ariete che ha già passato il tornado di Saturno e Plutone si erge a mentore dell'altro, che invece ha tutto il mio sostegno morale!

(Quasi) tutti i pianeti che danno fastidio all'Ariete invece fanno comunella con il Toro, quindi dove l'Ariete sclera, il Toro rassicura e sistema. Che meraviglia. Se l'Ariete riesce a farsi guidare senza dare di matto, allora è amore vero. Che poi il Toro quando vede l'Ariete in crisi mette su l'acqua per le tagliatelle e l'amore rifiorisce come la lasagna della mamma che si scongela quando non hai voglia di cucinare.

I Gemelli hanno voglia di divertirsi quest'anno, che già con Giove opposto hanno dato nel 2019 e devono recuperare. Certo, quando l'Ariete (soprattutto l'Ariete con Saturno contro) inizia a elencare problemi conditi di paranoie il Gemelli finge una telefonata di lavoro, ma per il resto potrebbe riportare il partner sulla retta via del "pensiamoci dopo". Come dire: nulla di risolutivo, ma un medicamento provvisorio di tutto rispetto.

A differenza del solito, con il Cancro potresti avere delle cose da dire. Insomma, ti capiterà di rivalutare positivamente il suo modo di vivere la vita, che di solito scarti come "troppo lento". Il Cancro gongola, finalmente, e potrebbe scappargli anche un: «Te l'avevo detto», ma mi sa che te lo meriti! Comunque brinda con te alle sfighe perché i pianeti che danno fastidio a te ne danno anche a lui, mica ha tanto da fare il furbo!

Voi due andate d'accordo di natura, ma quest'anno all'Ariete piacerà rimettere la spada nella fodera e farsi proteggere dal Leone come un cangurino con la mamma cangura. In cambio, l'Ariete sarà un suddito devoto e il Leone gongola. Che meraviglia quando tutto fila liscio.

Se l'Ariete è in paranoia (soprattutto seconda e terza decade), la Vergine si gode la vita come una che sfoggia al mare i risultati di un anno di fatiche nella piscina di aquagym. Con orgoglio e fierezza. E le fa pesare, soprattutto all'Ariete, che invece in quella piscina ogni tanto ha l'impressione di annegarci. L'Ariete in questione non la prende proprio benissimo e tutta la sua rinomata incontenibilità prende l'iniziativa di sopprimere la Vergine.

Già tra Ariete e Bilancia ci sono delle cose da discutere, di norma. In questo 2020, poi, tutti e due siete concentrati sui vostri problemi, quindi col cavolo che avete anche voglia di spendere energie nel far capire all'altro che è proprio sul

binario sbagliato. Più facile che vi ignoriate e lasciate ognuno nuotare nel suo brodino di pensieri.

Non c'è miglior maestro di paranoie plutoniche di uno Scorpione. Praticamente un plurilaureato con master. Dunque qua l'Ariete può sviscerare fin nel profondo ogni suo sentimento sconvolgente e bollente, e lo Scorpione lo ascolterà come l'analista con il paziente sdraiato sul lettino. Più che un dialogo è una seduta psichiatrica!

Dove l'Ariete discute, il Sagittario mette la calce tra i mattoni. Dove l'Ariete vorrebbe distruggere tutto a calci modello Beatrix di *Kill Bill* quando le fanno girare le scatole, il Sagittario sfoggia un sorriso zen e la colla millechiodi. Insomma i due si capiscono, ma in questo 2020 si compensano, anche. Benissimimissimo, direi!

Sarà facile vedere un Ariete e un Capricorno scornarsi davanti a una bottiglia di vodka, ma come due che stanno sulla stessa barca. Entrambi sono scocciati da questo anno di stasi meditativa nella quale tocca passare anche lunghissime serate a chiacchierare sul divano sul da farsi. E alla fine nemmeno un limone, per colpa del Capricorno!

I cambiamenti piacciono a tutti e due e sarete una coppia con la valigia pronta e il biglietto di addio facile. Non tra di voi, ma verso il resto del mondo. Surfate sulle possibilità da cogliere al volo e, anche se l'Acquario non è la persona migliore alla quale chiedere consiglio in un momento di crisi interiore, diciamo che le sue soluzioni sono sempre così aperte e ottimiste da permettere anche all'Ariete di vivere la paranoia con una certa dose di leggerezza!

Pare proprio che vi compensiate alla perfezione, come il whisky con il cioccolato. Voi due che di solito litigate sulle radici stesse della vita, in questo 2020 vi incontrerete a metà strada: nessuno capirà un Ariete meglio di un Pesci, e nessun Pesci troverà miglior spinta alla stabilità che si affaccia nella sua testolina di quella di un Ariete. E vissero tutti felici e contenti.

TORO

PRIMA DECADE, DAL 21 AL 30 APRILE

Con Giove, hai già dato negli ultimi mesi del 2019: è passato veloce come un cameriere con un vassoio carico di coppette di champagne durante un evento super affollato. Non te ne sei nemmeno accorto, caro Torello, e tutto il ben di Dio di piaceri, socievolezza, sensazione di stare alla grandissima si è dissolto con i botti di Capodanno. Ma non te la passi mica male neanche adesso! Come ti sarai accorto già l'anno scorso, sul tuo Sole è arrivato Urano e se ne starà lì a ciondolare per tutto l'anno, come il prof di latino che passa tra i banchi durante il compito in classe con le braccia dietro la schiena. Potrebbe essere minaccioso, ma anche no. Ti ricordi cosa ci siamo detti a proposito della congiunzione, vero? Dunque sai che Urano ti scarica addosso un sacco di energie rivoluzionarie, creative, fattive, ribaltanti. Ma di natura tu sei uno che ama mettere radici, come la quercia secolare anche se sta nel vaso sul balcone, quindi tutta questa storia dei grandi cambiamenti non è che ti piaccia poi più di tanto. Però potrebbero essere belle novità, come nuovi incarichi di lavoro (Urano è legato al lavoro), o in generale il risveglio di un ardire che in te è spesso sopito. Insomma, ti senti spiazzato.

SECONDA DECADE, DAL 1º ALL'11 MAGGIO

Saturno (a favore) ti ha lasciato nelle mani di Giove e non hai proprio nulla di cui lamentarti! Quindi se nel 2019, grazie a Saturno, hai preso decisioni da persona seria, solida e non solo sazia, adesso si apre un periodo in cui puoi davvero ricominciare a stappare bottiglie per festeggiare la tua buona volontà. Perché è bene festeggiarsi in ogni tappa del percorso, mica solamente alla vittoria... ma so che su questo sfondo una porta aperta! Quindi, Saturno ha fatto il suo dovere e tu sei una personcina per bene. Giove sarà per te come un compagno di sbronze per tutto l'anno con picchi estivi, e Nettuno a favore ti rende anche più sensibile al bene del mondo. In pratica, cerchi di risolvere problemi stappando bottiglie di prosecco o con lunghe sessioni di shopping, ma in fondo mantieni una bella capacità di sentire l'animo umano, i cuoricini battere, un filo della sofferenza altrui quando ti viene raccontata dettagliatamente. Nettuno ti apre anche ai progetti più alti, quelli che si fanno con le grandi idee prima che con i piccoli conti economici. Sarai quindi un Toro con le ali, in questo 2020... come quello della Red Bull!

TERZA DECADE, DAL 12 AL 20 MAGGIO

Torone, in questo 2020 sarai tu il vero pilastro dell'economia nazionale, il baluardo dei buoni propositi, il paladino delle rinascite e persino il massimo sostenitore di progetti impossibili. Che si tratti della tua vita privata o del tuo futuro lavorativo, sfoderi una passione mai vista prima, una voglia di metterti in gioco, di rimboccarti le maniche, di darti da fare puntando altissimo. Tutto merito di Saturno in trigono, cioè a favore... ma non serve che lo sottolinei perché tu, che cosa significa "trigono", oramai lo sai meglio di Galileo! Con Plutone a favore poi, in amore risbocciano emozioni profonde che ti indicano la via come assolutamente inevitabile, anche si tratta di un senso unico con divieto di transito. Praticamente un caterpillar, una forza della natura, uno tsunami di spritz! Che poi il bello è che ubriacherai con il tuo ottimismo anche chi ti sta vicino: ottimismo passivo ma molto, molto contagioso. Quindi insomma goditi questo anno strafico e non porre alcun limite alle follie (d'amore, prima di tutto)!

Ma guardando i transiti dei pianeti veloci vediamo...

MESI WOW E COME SFRUTTARLI

Marzo, agosto e ottobre, ma soprattutto marzo. Qui le energie per costruire davvero avranno uno slancio emotivo pazzesco, di quelli che in due settimane fai tutte quelle cose che rimandi da troppo tempo. Ti stupisci di te stesso e soprattutto hai la capacità di mettere a fuoco gli obiettivi, le strategie, i percorsi. Dormi il meno possibile dato che hai un sacco di baci da dare, case da comperare, idee geniali da sperimentare. Insomma, il tuo bello è che mostrerai di avere il pieno controllo della situazione e il tuo sorriso serafico non dipenderà solo dall'aver deciso dove andare a pranzo, ma anche dalla consapevolezza che tutto stia veramente andando secondo i piani.

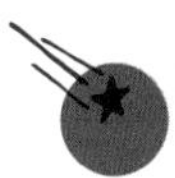

MESI FLOP E COME SOPRAVVIVERE

Gennaio, aprile e maggio. In questi mesi le energie scarseggiano e tu rallenti... Cosa che di norma considereresti un giusto riposo del guerriero che si è dato fin troppo da fare, ma che in questo momento, con tutto quello che ti passa per la testa, rischia di essere un attimo di noia. Invece hai la possibilità di riprenderti, riposarti, metterti a pari con le serie tv che hai trascurato, così concentrato com'eri su grandi e meravigliosi progetti di vita. Fatti la tisana e stai calmo!

IN LOVE WITH...

Questo Toro così sovraeccitato assomiglia molto a un Ariete. Per questo tra voi l'intesa sarà decisamente meno concreta e più ricca di assalti notturni d'amore... oltre che al frigorifero!

Vi mangerete di baci oltre che di coccole, progetti ed emozioni profonde. Non vi si potrà tenere fermi e anche le cene infrasettimanali a casa vostra non finiranno mai con una tisanina e una puntata del Grande Fratello! Insomma qui ci si diverte, eccome. In due e con gli amici.

Soprattutto le soste di Venere e Marte, che rendono i Gemelli ancora più amorosi, saranno la base del meraviglioso rapporto col Toro che non vede l'ora di farsi amare. Giove alleggerisce il Toro, che non avrà più la voglia di sculacciare i Gemelli come fossero adolescenti ribelli. Se lo sculaccia, è solo a sfondo erotico. Ma qui si parla di amore... e di amicizia!

Proprio questo cancretto indifeso e spaesato ti farà saltare i nervi. Ha voglia a richiamare l'empatia e la solidarietà di Nettuno a favore (solo per la seconda decade, tra l'altro!). Qui proprio si parlano due lingue diverse e il Cancro spesso eviterà addirittura di raccontarti i fatti suoi per paura dei tuoi giudizi taglienti. Fai il bravo, Toro!

Il livello di dialogo è sempre prevalentemente basato sulla passione. Non solo vicendevole ma verso la vita tutta quanta. Passione per il piacere, passione per i piaceri, passione per le cose belle, lo shopping, le cene, il lusso, le coccole e sì, ovviamente passione anche per il sesso. Che in questa coppia non si fa mai desiderare. Abbondante e free come l'acqua della fontanella.

E niente, qui c'è amore. Non solo amore nel senso di compatibilità, ma anche di comuni intenzioni per questo 2020. Praticamente vi ritro-

vate a fare cose che nessuno dei due avrebbe mai nemmeno immaginato. Insieme, mano nella mano, vi tuffate in una piscina di sconsideratezze. Bravi!

Dove il Toro ha delle certezze la Bilancia naviga nello sbattimento, e questa cosa fa innervosire entrambi, che saranno felici solo quando il Giove del Toro prenderà il sopravvento decidendo che limonare duro senza preavviso sia l'unico modo per zittire la Bilancia. Che però, finito l'effetto benefico del sollievo, ricomincia con i suoi tormenti da Saturno messo storto.

Tra voi di solito c'è poco da dire perché, anche astrologicamente parlando, vedete davvero le cose da due prospettive opposte. E invece? E invece capita che nel 2020 sentiate tutti e due le stesse spinte e troviate nell'altro proprio quella metà dell'azione che vi mancava. Praticamente due metà dello stesso donut!

Qui ce la si gioca volentieri a chi fa più tardi la sera, a chi invita più amici a cena, a chi spende più soldi muovendo solamente l'indice sul cellulare. Nei piaceri si fa la doccia come alla festa di Sant'Agata. Giove impera e le paranoie stanno così alla larga da questa coppia, che probabilmente riceverà lamentele all'assemblea di condominio per risate notturne!

Che discorsoni tra questi due!!! Attorno a voi la gente sbadiglia, ma in compenso tra i vostri occhi c'è un invisibile filo magico di empatia (sì, proprio empatia) che sfocia addirittura nel sex appeal. Il Toro non si sentirà mai capito profondamente da nessuno, e addirittura ispirato, come da un Capricorno. Che, quando vede di essere ascoltato come l'oracolo, gongola!

L'Acquario dubbioso apre il suo cuoricino e il Toro ci si infila con tutto il suo camper di provviste e attrezzature da giardino. Basta un attimo di distrazione di quel freddone che il Toro, con tutta la sua voglia di costruire del 2020, si piazza in casa sua e chiede la residenza. Quindi Acquario fregato e Toro soddisfatto.

Adesso che il Toro fa davvero di tutto per costruire arriva un Pesciolino a rovinargli i piani, come il bambino che in spiaggia ti schizza mentre tu ti stai immergendo pianino pianino nell'acqua. Insomma, i Pesci fanno quella domanda sentimental-emotiva che manda in crisi il piano perfetto del Toro.

GEMELLI

PRIMA DECADE, DAL 21 AL 31 MAGGIO

È un anno di quelli in cui ti sembra di aver dato tutti gli esami della sessione e ti tocca solo studiare, ma con calma, per la prossima. Nessuna fretta, nessuna pressione, nessuna messa alla prova. Tra febbraio e marzo Mercurio si ferma in quadratura al tuo Sole, ma tu al massimo decidi di prendere ferie oppure, ancora meglio, di mostrarti in tutta quella leggerezza da Lolita che sgranocchia le ciliegie in reggiseno senza pensieri. Se è vero che sei l'adolescente dello Zodiaco, come tutti ci tengono sempre a ricordarti, allora quando Mercurio ti renderà meno pronto dal

punto di vista della resa lavorativa e delle risposte intelligenti al capo, opterai per mostrare il tuo lato leggero come una nuvola di tulle. Senza pensieri.

Detto questo, comunque ci tengo a sottolineare che il tuo 2020 sarà davvero di quelli da ricordare come momenti di straordinaria calma piatta, pace interiore, assenza di colpi di scena e nulla di cui lamentarti, nemmeno del metabolismo lento. Venere infatti, pianeta della bellezza, si ferma nei tuoi gradi per la sua unica sosta dell'anno, tra maggio e luglio. Quindi, caro Gemelli, arrivi anche alla prova costume bello come Adriana Lima sulla passerella di Victoria Secrets. Desideri altro?

SECONDA DECADE, DAL 1° AL 10 GIUGNO

Partiamo dalle cose belle: la sosta di Venere è tutta tua quest'anno, e se sei una donna non potrai non risentirne. Dalla primavera alla prima metà dell'estate avrai voglia di flirtare con chiunque, disponibile o no, e soprattutto ti sentirai talmente bella e irresistibile da tacchinare senza nemmeno chiedere il permesso. Sfacciata e sorridente, audace e scollata. Ci piaci già molto.

Il punto, un pochino più ampio dato che si tratta del transito di un pianeta lento contro al tuo Sole, è Nettuno che passa per tutto l'anno in quadratura. Quindi a sfavore. Partiamo da un presupposto: un Gemelli è un sognatore incallito, uno che quando cade si rialza senza stare troppo a lamentarsi, come i bambini quando si sbucciano tutti imparando ad andare in bicicletta senza le rotelle. Anche tu ti rialzi quasi incurante, al massimo due lacrimucce.

Dunque questo Nettuno non trova terreno tanto fertile alla disperazione delusa e disillusa, ma va comunque considerato. Meglio volare basso e guardare bene nelle palle degli occhi la realtà, anzi se ci fosse bisogno puoi avvalerti anche dell'aiuto di solidi amici poco creativi, perché spazzino via ogni dubbio su ciò che è reale e ciò che stai solamente immaginando in quella testolina iperattiva che ti trovi.

Dato che Nettuno, quando si mette di traverso, ci fa sentire la grossa mancanza di qualcuno o qualcosa (che magari ci porta anche via), tutto ciò ci fa perdere la capacità di affrontare i cambiamenti come le onde sul materassino e ci apre gli occhi verso qualcosa che fingevamo di non voler vedere. In tutto ciò è bene ricordare che con questo transito si è portati a perdere il controllo lucido sulla situazione. Il tuo commercialista deve diventare il tuo migliore amico, da chiamare giorno e notte! Ok?

TERZA DECADE, DALL'11 AL 21 GIUGNO

Si sta come i fichi sull'albero. Comodi. E fichi. Insomma, non c'è proprio nulla di cui lamentarsi, soprattutto perché per tutta la seconda parte dell'anno c'è anche la sosta di Marte a favore che pare praticamente mettere la musica a una festa in giardino: quello che già sembrava bellissimo diventa quasi perfetto. Invidia pura!

I pianeti lenti passano alla larga come si fa con le pozzanghere quando si hanno le infradito, e tu ti godi tutta la tua vitalità, soprattutto dopo aver finalmente scacciato (da dicembre 2019) Giove che si era piazzato in opposizione per un pezzo facendoti sentire simpatico come un ausiliare della sosta.

Quindi c'è un sacco di vitalità, voglia di vivere, ardore di pensare e programmare che aspetta solamente la tua carica di energia e creatività. Come spesso ti succede quando ti riprendi da un momento "no", anche adesso hai voglia di volare altissimo e di metterti alla prova per dimostrare quanto sei fico. Ma noi lo sappiamo già, stai buono! Non strafare e non rischiare di fare lo stronzetto indipendente da ogni legame sentimentale, perché chi ti sta attorno ci rimane male... sappilo. In compenso: goditi questa ripresa e rituffati nella vita come dallo scivolo gigante dell'Acquafan!

Ma guardando i transiti dei pianeti veloci vediamo...

MESI WOW E COME SFRUTTARLI

Da aprile a luglio con Venere che ti bacia. Ma anche Marte *nella seconda metà dell'anno* non scherza. I pianeti lenti non fanno grossi danni, mentre quelli veloci sono tutti tuoi amici, meglio di essere la fidanzata del deejay alla festa. In questi mesi quindi goditi un extra di energie e soprattutto di sicurezza in te stesso, di voglia di metterti in gioco dribblando paranoie, indecisioni, paure e dubbi. Meglio di così non si può!

MESI FLOP E COME SOPRAVVIVERE

Gennaio e febbraio... la partenza non sarà il tuo forte! Ecco, a differenza di quello che fai di solito, quando parti sgommando senza allacciarti la cintura di sicurezza né fare l'appello dei presenti nell'auto, questo 2020 inizia con calma. Forse ti devi riprendere da Giove che lo scorso anno ti ha stremato, forse stai solo mettendo la testa a posto e prima di tuffarti controlli quanto sia profonda l'acqua. In ogni caso questo fatto che parti in punta di piedi e ingrani una marcia per volta mi piace parecchio... anche se so bene che già ad aprile ti troverò a fare le penne nelle vie di paese. Malandrino!

IN LOVE WITH...

Certo, questo Ariete così serioso potrebbe rallentare e frenare la tua voglia di divertirti parecchio come alla festa di fine anno. In compenso però tu, Gemelli, a lui, Ariete, fai davvero bene: di certo non siete due che si perdono in logici e razionali considerazioni prima di buttarsi in nuove avventure... quindi via libera a tutto il vostro entusiasmo sbarazzino, anche se Saturno dovesse metterci lo zampino!

La coppia Toro-Gemelli è probabilmente il regno del godimento e del piacere. L'amore sgorga a fiumi come lo champagne alle feste del Grande Gatsby. Ma ce n'è per tutti perché Toro e Gemelli, complici Giove e Venere a favore, hanno davvero voglia di fare scorpacciate di divertimento, di coccole e amore. Quindi anche di champagne ne resta poco per gli altri. Ingordi!

Qui c'è davvero della gran voglia di divertirsi, manco si fosse per tutto l'anno a Ibiza a ballare a piedi nudi sulla spiaggia con l'open bar e il dj set no stop. Ci si guarda negli occhi e si finisce in orizzontale, il più delle volte. Il

bello è che avete tutti e due voglia anche delle coccole nel post... ma solo prima di ricominciare a ballare!

Non vi capite proprio: per il Cancro ogni cosa sembra un problema insormontabile, mentre il Gemelli ci ride su. La cosa genera ben più di uno scontro nervoso, tanto che se il Cancro si mette a piangere battendo i piedi il Gemelli al massimo gli offre da bere. Che poi, da quando chi ha Saturno contro cerca conforto in un Gemelli?

Se siete di questa accoppiata di segni non ci sarà rischio troppo rischioso, trampolino troppo alto, posta in gioco troppo azzardata per voi: volete provare ogni sensazione fino a raggiungere il limite estremo. Che si tratti di eros in senso stretto oppure di scelte di vita quotidiana, diciamo che in tutti i casi la noia non sarà contemplata, e nemmeno l'accortezza!

Si sa che vedete le cose da due punti di vista assolutamente diversi, ma entrambi usate la testa. Anche qui, ognuno a modo suo. In un anno in cui la voglia di mettervi in gioco sollecita entrambi forse avete ciascuno qualcosa da imparare dall'altro, senza ritenerlo inevitabilmente troppo lontano da voi e sordo alle vostre caratteristiche. Intersecatevi, mentalmente, insomma.

Quest'anno proprio viaggiate a due velocità differenti: dove il Gemelli schiaccia l'acceleratore, la Bilancia tira il freno a mano. Anche sulla socievolezza avete da litigare, visto che i Gemelli sbuffano alla richiesta di silenziose e romantiche cenette a due della Bilancia.

Tra uno Scorpione serioso e costruttivo e un Gemelli che va tenuto a bada come un adolescente in esplosione ormonale al carnevale di Rio, c'è solo una cosa da fare: sesso. Ognuno avrà qualcosa di interessante da insegnare all'altro. E non servono lezioni scritte.

I dialoghi possono sfociare nelle litigate, purché costruttive... Soprattutto perché nessuno dei due avrà bisogno di essere trattato con delicatezza quest'anno. Quindi via libera a scontri di opinioni come sul ring... che però, si sa, sono anche particolarmente erotici!

Che noia questo Capricorno che ha un sacco di voglia di solidità, certezze e uffici privati con poltrone in pelle umana! L'unico modo di trova-

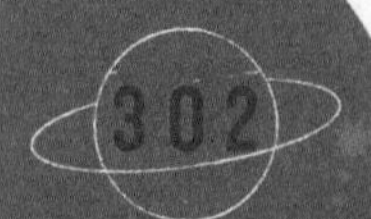

re un accordo soddisfacente tra le parti è che il Gemelli sia come Paris e il Capricorno come Richard Hilton, il papà manager multimilionario.

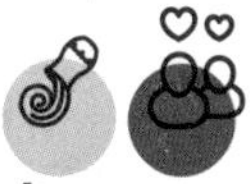

È amore vivace e vitale, energico e pieno di prospettive. Nessuno dei due si metterà a pianificare il futuro, ma alla fine ci si ritroverà a viverlo insieme. E felicemente, per di più!

Non che i Gemelli abbiano voglia di sottostare alle infinite dichiarazioni d'amore e attenzioni sentimentali dei Pesci, ma diciamo che non avendo più nessun pianetone contro cui litigare, in questo 2020 c'è spazio anche per qualcosa di mistico... E si sa che i Gemelli sono inguaribili curiosoni. Tra i due c'è la voglia di intraprendere nuovi percorsi insieme.

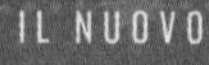

CANCRO

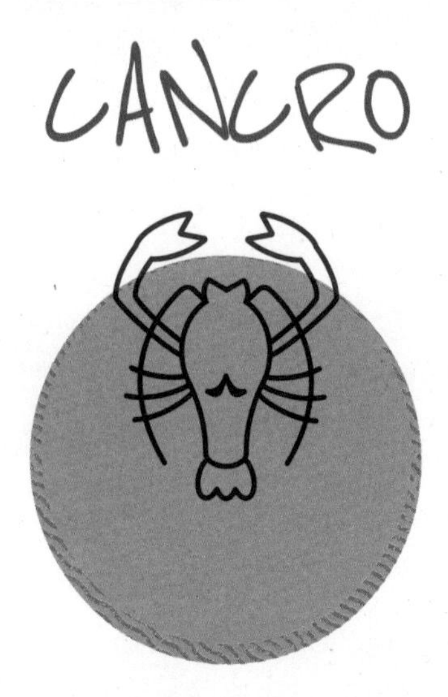

PRIMA DECADE, DAL 22 GIUGNO AL 1° LUGLIO

Già lo sai che sei salvo. Puoi leccarti le ferite, fare il vecchio saggio che al bar, fumando da solo in un angolo, spara verità assolute sulla vita, l'amore e altre bazzecole. Puoi addirittura permetterti di sbuffare quando qualcuno viene a lamentarsi da te. Da te! Che sei da sempre la miglior spalla dello Zodiaco su cui piangere. Il tutto perché appunto la ventata di sfighe l'hai passata, ci hai navigato in mezzo come un naufrago sulla zattera e adesso ne sei finalmente uscito. Anzi, ti dirò di più: ancora in questo 2020 (come già nel 2019) godrai del piacere e del favore

di Urano in sestile (quindi amico, tu oramai lo sai bene!). Urano porta novità, cambiamenti, botte di culo (termine tecnico astrologico derivante dal latino). Certo, per te che ami il caldo abbraccio che profuma di caffè e parmigiana della mamma, diciamo che alla parola «cambiamenti» strabuzzi gli occhi chiedendoti che cosa devi aver mai fatto di male per non poterti godere un po' di pace. Sbagli però! Perché questi cambiamenti, essendo positivi, possono smuovere qualche situazione nella quale, pur senza tormenti, sei un po' incastrato e che di tua spontanea volontà col cavolo che modificheresti. In più, anche Giove in opposizione scivola via veloce come la pioggia sulla cerata. Praticamente quasi non lo senti e se lo senti chissenefrega, dato che Giove opposto ti fa ingrassare, ma a gennaio e febbraio la prova costume è solo una paura lontana. Quindi tutto bene.

SECONDA DECADE, DAL 2 AL 12 LUGLIO

Allora Cancretto, qui pare che nel 2020 nella tua decade proprio ci sia la ressa come davanti alle transenne del concerto di Vasco. Ma noi procediamo con ordine, così a te è tutto chiaro per benino. Con calma, che è il tuo forte.

Diciamo che continua anche quest'anno un'influenza meravigliosa di Nettuno a favorissimo. Ma a favorissimimissimo. E Nettuno a te ti piace assai, dato che si tratta di idee, progetti, romanticherie a palla, immaginazione oltre ogni confine del reale (e per chi con il reale non ha sempre un rapporto amichevole, Nettuno è una vera dose di cioccolato fondente).

In compenso però dove Nettuno ti fa volare sulla mongolfiera dei sogni e dei grandi progetti d'amore cosmico, Giove a momenti alterni tira un freno a mano modello raccomandata di Equitalia dopo che hai appena preso la tredicesima. Insomma Giove senza tatto ti riporta alla realtà, ti fa rallentare nel realizzare cose e ti carica di dubbi e paranoie. Come se ce ne fosse bisogno, dirai! Ecco.

Ma non è finita, perché in fatto di paranoie ci si mette anche Marte in sosta in quadratura: si accanisce a darti fastidio nella seconda metà dell'anno sempre togliendoti dosi di sicurezza e capacità di prendere in mano la situazione risolutivamente e vogliosamente. Si spegne l'eros che diventa tiepido come il fornelletto da campeggio che sollazza la moca da due in venti minuti abbondanti. E spesso ti troverai a lamentarti del nulla. Non con un Cancro della prima decade, però, mi raccomando!

TERZA DECADE, DAL 13 AL 22 LUGLIO

Non avere paura, c'è la tua astrologa che ti tiene la mano. Come a fare le vaccinazioni o dal dentista. È un anno, il 2020, che ti mette alla prova ma tu, ne sono certa, userai tutta la sensibilità emotiva, della quale sei maestro tra tutto lo Zodiaco, per capire davvero in profondità che cosa ti stia succedendo, curiosare nel fondo del cuoricino come nella cantina della nonna e scovare dei tesori che erano assonnati e incustoditi dentro di te. Ok?

Bene, adesso ti spiego meglio. Plutone, che è il pianeta più forte di tutti (perché è il più lento) si trova ancora in opposizione al tuo Sole, quindi lo mette in crisi, in difficoltà, toglie energie, fa venire a galla scandali, dolori antichi, verità sommerse della nostra personalità. Quest'anno più che altro se la prende con le persone della prima metà della terza decade, ma come tutti i pianeti lenti la sua influenza si sente anche prima. Soprattutto tra sensibiloni attenti come te.

Contemporaneamente Giove e Saturno, sempre in opposizione al tuo Sole, non aiutano. Ma sai che ti dico? Meglio così: in questo modo i cambiamenti, che siano evidenti al resto del mondo o solamente nella profondità del tuo io, saranno inevitabili. Saranno come un tornado e, credimi, anche eccitan-

ti. Per chi come te sa ben vivere tutte le sfumature dell'anima e del pensiero senza paura, perché sei abituato a parlarci *vis-à-vis*, questa esperienza sarà davvero come quella di un esploratore che si trova per la prima volta tra le rane volanti della foresta del Borneo. Unica, irripetibile, difficile sì ma meravigliosa nell'intensità alla quale ti espone. Quindi sii pronto a partire portandoti dietro poche cose, perché la prima lezione che dovrai imparare è che tu sei un io indipendente dal tuo passato e dai tuoi legami. Sarà un bellissimo viaggio, fidati della tua astrologa!

Ma guardando i transiti dei pianeti veloci vediamo...

MESI WOW E COME SFRUTTARLI

L'estate da maggio a luglio. Qui la tua dolcezza diventa tanto più emotiva e sensibile, capace di riconoscere i sentimenti altrui anche a distanza e con gli occhi chiusi, che a te per magia si avvicineranno solamente persone meravigliose. Goditi questa capacità di emanare amore come un umidificatore con gli oli essenziali!

MESI FLOP E COME SOPRAVVIVERE

La seconda metà dell'anno, con quel Marte che ti infastidisce, potrebbe essere faticosa... perché Marte quadrato spegne le energie, non solo quelle erotiche ma soprattutto quelle vitali. Quindi tieniti pronto con ricostituenti, magnesio, coach di autostima e santoni da mindfulness. Insomma non strafare, non caricarti di impegni e mettiti in testa che andrai a letto presto e il pigiama sarà il tuo indumento preferito. Ma c'è del bello anche nella pigrizia... e tu lo sai già!

IN LOVE WITH...

Diciamo che mal comune... possibile gaudio di consolazione! Certo, voi due di natura vedete le cose in modo diverso, ma in questo caso potreste esservi utili a vicenda per supportarvi in aria di grandi subbugli modello sommosse popolari alla corte di Francia. Soprattutto l'Ariete, che ha la sosta di Marte a favore, darà al Cancro quello scossone sufficiente a prendere il coraggio in mano e deliziare il mondo intero di dito medio!

Tutta la sicurezza del Toro irrita alla grande il Cancro, che invece nuota a dorso nelle paranoie... Quindi tra questi due ci possono essere talmente tante incomprensioni da far sì che si chiedano letti separati e soprattutto due tv! L'unico punto nel quale si potrà trovare l'accordo sarà in cucina... anche se ciascuno pretende di essere il sovrano indiscusso dei fornelli. Sarà lotta all'ultimo supplì!

Mamma mia che nervi vengono al Cancro quando si trova ad avere a che fare con i Gemelli, il cui unico problema sembra la scelta del cocktail da abbinare all'insalata russa per l'aperitivo! Dove il Cancro parla di pensieri profondi (anche d'amore) i Gemelli sbuffano... ma ciascuno non potrà fare a meno dell'altro e ne ricercherà la compagnia anche nelle serate con il broncio e le braccia conserte. Sotto sotto ridono entrambi!

Qui l'abbraccio è cosmico e i due si capiscono anche a chilometri di distanza senza nemmeno essersi scambiati un'emoticon. Praticamente un filo di corrente veloce come la fibra ottica li unisce inevitabilmente. Non servono le parole, solo baci!

Il Leone scuote il Cancro. È così di norma, ma lo sarà ancora di più quest'anno, soprattutto perché per la prima volta il Cancro smetterà di pensare che il Leone sia un despota capriccioso sicuro discendente della regina di cuori di *Alice nel Paese delle Meraviglie*! Il Cancro, spesso stanco, si farà trascinare dalla potenza del Leone, come una conchiglia dalle acque del mare.

Dopo tanto confronto tra questi due scatterà un'attrazione fatale perché il Cancro avrà la sensazione per la prima volta che nessuno lo capisca davvero bene come la Vergine, ma soprattutto si fiderà di lei ciecamente. Senza nemmeno chiedere quali siano le tappe del viaggio, le si siederà accanto.

La Bilancia sa sempre bene come coccolare un Cancro e di coccole tra questi due ci sarà davvero bisogno. Si stapperanno bottiglie di vino (anzi champagne, perché qui regna la classe!) e si brinderà ai buoni propositi... Come finisce la serata non serve che ve lo spieghi l'astrologa!

Quando ci sono dei problemi in vista nessuno sa consolare meglio di uno Scorpione, soprattutto se in orizzontale. Quindi, Cancretto, raccogli

tutte le tue paranoie e gettale nel letto matrimoniale: sarà tuo per sempre... o almeno per il 2020!

L'allegria del Sagittario conquista anche il Cancro più silenzioso e timido, che alla fine si farà convincere a fare qualche giro di mazurca alla festa di paese. Insomma, l'amore sboccia sulle note di una ballata e canterà per tutto l'anno.

Cancro e Capricorno si ritroveranno ai due lati opposti di una bottiglia di vino pronti a sviscerare problemi e tensioni. All'ultima goccia saranno entrambi ubriachi, ma avranno imparato a stimarsi e amarsi ancora di più. Ottimo direi.

Tutta quella capacità dell'Acquario di rendere le cose facili e soprattutto di farle in fretta farà incazzare ancora di più il Cancro, che invece fatica ad abbandonare anche la boccetta di shampoo finita. Ecco, funziona solo se l'Acquario si intenerisce o se il Cancro si indurisce!

Tra i due c'è un legame indissolubile di piacere, anche nel dispiacere. Quindi via libera a giochi erotici di ogni genere per dimenticare ogni pensiero. Che meraviglia quando ci si capisce così al volo!

LEONE

PRIMA DECADE, DAL 23 LUGLIO AL 2 AGOSTO

Delle tre decadi del Leone la più turbolenta sei tu. Ma quanto ti piace essere turbolento, Leoncino? Di certo non ti fai intimorire da chi minaccia di cambiare i programmi, le carte in tavola, gli ordini del giorno. Perché se è vero che nella vita quello che più temi (dopo farti soffiare l'ultimo paio delle scarpe che lumavi da tempo quando sono in saldo) è la noia, allora per quest'anno stai sereno!

Insomma la faccio breve: succede ancora che Urano infastidisce come la sabbia nelle scarpe e tu potresti perdere (temporaneamente) il controllo della situazione. Urano si comporta come un ospite che non hai invitato e che citofona, sale, non si pulisce le scarpe sullo zerbino e decide anche che quel bel vestito appeso davanti al tuo armadio adesso è suo. Lo so che ti stai già innervosendo, da quando ho parlato di bel vestito. Ma è proprio così: Urano arriva e spesso porta via certezze e stabilità che ci siamo costruiti nel tempo, che si tratti di persone, cose o situazioni. O anche solamente di sensazioni. È un pianeta poco attento alle sensibilità altrui quindi, come l'ospite di cui sopra, non si fa annunciare e non ama la buone maniere; arriva all'improvviso e tu resti scompigliato non solo nei capelli (cosa già di per sé insopportabile) ma anche nel cuore.

No panic: ricordati che dove qualcosa cade c'è nuovo spazio per ricostruire e tu non sei certo un timidino che si fa spaventare dal nuovo. Anzi, rimboccarti le maniche ti piace parecchio. E poi Urano ha una meravigliosa qualità: porta lucidità, ti permette per la prima volta di guardare le cose dall'alto e ridare il giusto spazio a ognuna. Ti dona consapevolezza, anche se fredda e tagliente.

Ultima cosa: in momenti diversi anche Giove e Saturno toccano i primi 2 gradi del Leone (quindi i nati nei primi due o tre giorni del segno)... Ci saranno nuove decisioni da prendere con tanta, ma tanta maturità. Questa sconosciuta.

SECONDA DECADE, DAL 3 AL 12 AGOSTO

Eh niente Leone, per te solo cose belle. Anzi, potrai divertirti a sbrodolare con tutti quegli hashtag odiosi e strafottenti da #ciaone a #staisereno che tanto a te andranno bene tutte. Ma proprio tutte. Una certa dose di invidia mal celata mi porta a dire che però è bene che tu controlli anche la posizione di Ascendente, Luna e Venere. Ma è tutta invidia, appunto! Le tue magnifiche doti da mattatore sul palcoscenico verranno fuori con una naturalezza da lasciarci di stucco, la tua criniera sarà bellissima anche con la piega naturale da spiaggia con sale incorporato e il tuo sorriso più smagliante di quello di David Beckham sugli spalti di Wimbledon. Insomma, sei figo senza senso. Lascia che le tue grandi capacità di far cadere chiunque ai tuoi piedi in questo 2020 crescano come la pianta del fagiolo magico innaffiata a spritz e sii pronto a salirci sopra manco fosse un unicorno.

Non è che i pianeti proprio ti spingano come la corrente con le triglie, ma comunque ti lasciano fare e tu, di tuo, fai sempre alla grande.

Divertiti quindi e sistema tutte le cose che hai

lasciato in sospeso, perché con questa combinazione di pianeti sarà davvero la tua essenza a venire a galla meglio del marshmallow nella cioccolata calda.

TERZA DECADE, DAL 13 AL 22 AGOSTO

Ti godi tutta, ma proprio tutta, la sosta di Marte a tuo favore. Stai lì sdraiato pronto a ricevere i suoi benefici come fai con il sole quando ti piazzi sullo scoglio la mattina del 3 agosto armato di borsa frigo e giornali di gossip freschi di stampa. Ne fai proprio scorpacciata, addirittura indigestione di questo Marte. E se il tuo partner non avrà davvero nulla di cui lamentarsi - perché grazie a questo transito il desiderio erotico occuperà nella tua testa lo stesso spazio del bisogno di nutrirti e dissetarti - tu potresti invece rischiare di strafare. Nel senso: il transito è più che positivo e ti porta energie a carriolate, voglia di alzare quelle chiappette dal divano e fare addirittura sport agonistico, desiderio suino di cui abbiamo già parlato lungamente e anche voglia di fare amicizia, che busserà alla porta quando sono ben due sere di fila che preferisci le serie tv.

Ecco, detto tutto questo, e chiaramente puoi già iniziare a rallegrartene e a vantarti con gli amici, po-

trebbe succedere che tu esageri. Tu??? Eh già. Nel senso che Marte a favore ti dà anche tanta ma tanta sicurezza in te stesso, e sappiamo che il tuo DNA ne era già pregno peggio che i capelli di olio anticrespo. Quindi potresti ogni tanto sopravvalutare le tue forze, le tue idee, le tue potenzialità o la tua fortuna. Vero che tu sei l'imperatore assoluto e ogni tuo desiderio è un ordine per noi, ma cerca di stare almeno un po' schiscio.

Ma guardando i transiti dei pianeti veloci vediamo...

MESI WOW E COME SFRUTTARLI

Sei fortunello perché per *tutta la seconda parte del 2020* Marte sta a tuo favore e rinvigorisce le tue doti di grande amatore, nottambulo dai mille programmi e dall'inesauribile energia, e soprattutto di ardito tentatore di strade sempre nuove. Senza seguire l'istinto, ma piuttosto il proibito. In questi mesi metti in atto i tuoi buoni propositi e portati avanti per quando i capricci e la voglia di divertirti prenderanno il sopravvento sugli impegni di lavoro!

MESI FLOP E COME SOPRAVVIVERE

Trovare un mese flop nel tuo 2020 è davvero difficile, fortunello di un Leoncino! Al massimo a marzo la parrucchiera può sbagliare di un tono

la tinta dei tuoi capelli... cosa di cui tra l'altro ti accorgeresti solamente tu. In compenso, dato che Venere sarà a tuo sfavore, potresti ucciderla. Ma è un dettaglio di poco conto dato che ti attende un anno da principessa delle extension!

Con tutto questo Marte a scaldare il vostro letto, ci sarà ben poco tempo (e spazio) per il dialogo. Ma nessuno avrà di che lamentarsi!

Il piacere da sempre vi accomuna ma in questo 2020 la voglia di costruire del Toro potrebbe intrappolare anche il baldanzoso Leone... e sarebbe un'unione regale da festeggiare con il migliore degli champagne!

Sono sicura che voi due non vi annoierete... anzi! Risate, scherzi, voglia di ballare fino a tardissimo e tanti ma tanti baci. Di quelli non innocenti, è ovvio!

Quando il Leone avrà bisogno di un po' di calore e consolazione, di quelle senza chiedere nulla in cambio, si getterà tra le braccia di un adorabile Cancro e solamente lì si sentirà al sicuro.

La passione più cieca e profonda, torbida e incontenibile... ma anche la lotta all'ultima punzecchiata per decidere chi dei due sarà la prima donna, l'imperatrice indiscussa.

È amore vero tra questi due... dove la Vergine si sbottona e il Leone è ammirato e rassicurato dalla sua capacità di fare sempre la cosa giusta al momento giusto. Un equilibrio perfetto tra ragione e sentimento.

La Bilancia bacchetta il Leone ma ognuno gioca il suo ruolo alla perfezione. Che bello sarà sentirvi discutere come due comari al balcone. La Bilancia riuscirà a far mettere la testa a posto al Leone, almeno qualche volta, e di contro il Leone spingerà la Bilancia sull'altalena delle emozioni, facendole dimenticare gli impegni già presi!

Siete due corde di violino e questo non aiuta, soprattutto perché lo Scorpione scuoterà spesso la testa credendo che il Leone non abbia alcuna speranza di usare qualche momento no per dedicarsi all'introspezione e alla solitudine meditativa. Insomma, tra i due scorrono le acque dell'intero oceano Pacifico!

Tra amore e sesso sarà davvero difficile districarvi, perché qui ci si capisce immediatamente e alla perfezione. Vitali, vivaci e vorticosamente incoscienti. Praticamente due adolescenti innamorati. Godetevela!

Per una volta al Leone arriveranno forti e chiari i messaggi e i consigli del saggio Capricorno, che invece di sbuffare ne farà volentieri tesoro... Anche perché quel Capricornone sembra essersi finalmente sciolto!

Sarà un anno di follie per entrambi e farle insieme vi farà ridere di gusto. Certo, tra voi non c'è la lite per chi debba stare al centro della scena: è senza dubbio il Leone. E l'Acquario ne approfitta per avere tempo libero per sé. Due segni assolutamente complementari!

Il Leone supporterà ogni folle viaggio dei Pesci, che sia reale o immaginario, perché se buona parte dei Leone saranno costretti a fare le valigie da qualche certezza, non c'è segno migliore dei Pesci per iniziare un cammino insieme...

PRIMA DECADE, DAL 23 AGOSTO AL 1 SETTEMBRE

Un altro anno in cui chi ti è a fianco si chiederà se ti abbiano per caso fatto un trapianto di cervello durante la notte. Urano infatti continua la sua opera di rivoluzione dei tuoi principi e di alleggerimento delle tue paranoie. Praticamente qualcosa di vicino al miracolo da far invidia anche a sant'Antonio da Padova in carne e spirito.

Ricapitoliamo: già dal 2019 hai sentito soffiare un vento di novità, e non era il phon. Urano ti ha reso più scaltro, audace, pronto a saltare sul carro del vincitore, a goderti i benefici delle tue decisioni e del tuo duro lavoro. Per la prima volta hai avuto la sensazione di azzeccare, di essere nel posto giusto al momento giusto, di volertene fregare (un po' almeno) delle buone maniere, dei doveri, delle responsabilità e di che cosa pensa la mamma. Bene così, hai spedito tutti al mare! E tu ti sei sentito bene, libero e slegato. E ti è piaciuto parecchio.

Ecco, nel 2020 questa bella sensazione continua, anche se tra febbraio e marzo i pensieri si muoveranno con la manovella della macchina per stendere la pasta e prima dell'estate Venere quadrata ti farà sentire sexy come il carrellino che le massaie si trascinano dietro al mercato della frutta.

A parte questi piccoli intoppi, continua un periodo di sfanculate facili (che dai, non che ricevi!) e voglia di iniziare cose nuove. Lo spirito imprenditoriale si è impossessato di te e non ti molla più.

SECONDA DECADE, DAL 2 AL 13 SETTEMBRE

È vero: Nettuno ti delude ancora, ma contemporaneamente Giove rimpingua la tua autostima e la fiducia che riponi nel resto del genere umano. Insomma, un colpo alla Vergine e un colpo alla botte. Quindi non ti lamentare, le cose vanno anche meglio dello scorso anno. È anche vero che Venere di traverso prima dell'estate ti innervosisce parec-

chio, ma guarda al lato positivo: ti sentirai piacevole come il treno regionale senza aria condizionata e per questo eviterai di scialacquare denaro nei saldi estivi come invece Giove a favore avrebbe voluto farti fare. E con te la questione economica è sempre un argomento che desta attenzione.

Ma torniamo a Nettuno, che ti fa arrabbiare non poco. Proprio a te, che sei attento e scrupoloso su tutto, spegne i progetti, offusca la lucidità mentale, restringe le possibilità di movimento sia fisiche sia di pensiero, apre gli occhi su qualcosa che avevi preso con troppa leggerezza. Tu??? Eh già, capita anche ai migliori, cara Vergine.

Insomma, capita che per colpa di Nettuno opposto ti ritrovi a odiare tutti, sbuffando sonoramente. Ma grazie a Giove ci bevi su. E torni a sorridere!

TERZA DECADE, DAL 14 AL 22 SETTEMBRE

Vergine, hai messo lo champagne in frigo? No perché, come si dice a Milano, nel 2020 «si sboccia»! Preparati ad apparire a party (ma anche in ufficio) con vestitini (tu, amico, declina pure al maschile) ricoperti di piume e paillettes, tacchi a spillo da vertigini, spacchi, décolleté e persino boa di struzzo. Fucsia.

In sostanza, una combinazione magica di Plutone, Saturno e Giove si danno appuntamento proprio nella tua decade, manco offrissi da bere gratis. Certo, se Plutone e Giove sono spassosi (o almeno ci provano), Saturno di suo lo è meno e sarà grazie a lui che diventerai ancora più ambizioso, determinato, inflessibile e puntiglioso sulle scadenze. Ma grazie a Giove e Plutone di cui sopra, ti basterà davvero un'occhiata languida per farti perdonare subito. Insomma, per la prima volta userai quelle armi di fascino e *savoir faire* che di solito tieni ben allacciate dietro i bottoni del trench.

Ricapitoliamo: Saturno ti rende ambizioso e determinato e pronto anche a dire (o ridire) grandi «sì». Di quelli lì che hai capito benissimo.

Plutone smuove le passioni dalle viscere e ti rimette in contatto con quella Vergine che spesso si dimentica di ascoltare il cuore e anche lo stomaco. Ma non sarà questo il caso, perché il cuore brontola e lo stomaco batte. Non il contrario.

Quindi, unendo la tua famosa logica alla passione viscerale di Plutone e a un po' di sana goliardia di Giove - che ti fa addirittura perdere tempo in brindisi ben prima dell'orario aperitivo consentito per educazione - ne uscirà una Vergine meravigliosa. Che così non si è proprio mai vista!

Ma guardando i transiti dei pianeti veloci vediamo...

MESI WOW E COME SFRUTTARLI

Grazie a Giove *quasi tutti* ma di più di più diciamo *marzo*, *ottobre*, *novembre e dicembre*. E dici poco! Lasciati andare come su un'altalena e prendi la rincorsa. Non pensare troppo, vivi l'istinto e le emozioni, la tenerezza e il piacere. Vivi tutto fino in fondo perché te lo meriti e questi transiti è come se ti coprissero gli occhi come a mosca cieca. Romantico e sexy!

MESI FLOP E COME SOPRAVVIVERE

Da aprile a luglio per colpa della sosta di Venere nei Gemelli, proprio mentre si tolgono le calze a maglia e si accorciano le gonnelline svolazzanti. Non è un gran danno, ma occhio a chi si è abituato a una tua nuova veste di dolcezza e sensibilità e adesso vede il ritorno del dito indice che ciondola in segno di disapprovazione. Per fortuna dura poco!

IN LOVE WITH...

La Vergine ha così tanta voglia di fare la ragazzina... mentre l'Ariete si fa prendere dal panico e la sgrida. I ruoli sembrano decisamente scambiati!

Vi sorprenderemo a marinare l'ufficio per andare a baciarvi al cinema. Insomma, bando alle regole e ai doveri e via libera alle promesse fatte sulla scia di passioni forti, incontenibili e decisamente poco lucide. Non è da voi ma ci piace molto!

Diciamo che in questo 2020 vi incontrerete a metà: dove la Vergine è meno Vergine e i Gemelli sono (almeno un po') meno Gemelli. Quindi ci può essere un dialogo, che potrebbe addirittura piacervi parecchio! E non dimenticate che lo scambio di idee è quello che vi attrae l'uno verso l'altro...

Le chele puntute del Cancro, se abbracciano una Vergine possono essere davvero molto dolci e protettive. C'è un incastro molto sexy nello scambiarsi piacere da geisha, dove ciascuno dei due si fa in quattro per far star bene l'altro... e non solamente a letto!

È amore prima di tutto perché la Vergine la smetterà di cercare di smorzare i desideri estrosi e fastosi del Leone... Anzi, vi si adagerà volentieri, conquistata da tutta questa voglia di esagerare e lasciarsi andare!

Vi ritroverete così, a discutere della tonalità delle lenzuola e delle pieghe del copriletto. Ma da quel letto nessuno dei due avrà alcuna voglia di alzarsi!

Per la prima volta sarà la Bilancia la seriosa tra i due segni, e dovrà fare ramanzine alla Vergine che invece per questo 2020 era pronta a lasciarsi andare e ad abbandonare quel senso del dovere che la costringe come l'elastico delle autoreggenti.

Tra loro è amore da sempre, di quegli amori che si ritrovano in fondo in fondo ai pensieri. Con il cuore non c'è proprio nulla a che vedere, qui si parla solo di una infinita attrazione mentale che lascia spazio a inevitabili affetti. Nessuno capisce una Vergine meglio di uno Scorpione.

È amore, anche se la Vergine avrà spesso voglia di imbavagliare il Sagittario... e non (solo) per provare nuovi giochi erotici, ma perché tutte quelle chiacchiere sovraeccitate sono troppe anche per lei, che in questo 2020 si fa coinvolgere dalle feste sagittariane.

Sarà difficile che questi due non si strappino i vestiti in pubblico! Nonostante le buone maniere e l'amore per lo status di entrambi diciamo che potrebbe capitare di vederli compiere atti decisamente sconvenienti. Sporcaccioni!

La praticità in questa coppia è davvero tutto: logici, intuitivi, razionali e problem solver. La casa più perfettamente sintonizzata è quella di una coppia Vergine-Acquario, e tra loro il dialogo sarà chiaro come l'ordine del giorno della riunione condominiale. Si vota per alzata di mano.

Anche se la Vergine sembra avere intenzione di sciogliersi, tutta la nettuniana frivolezza dei Pesci per lei potrebbe essere troppo, davvero troppo. Dove la Vergine muove un passetto verso la leggerezza, i Pesci sono già saltati sulla mongolfiera...

BILANCIA

PRIMA DECADE, DAL 23 SETTEMBRE AL 2 OTTOBRE

C'è una quasi calma piatta ad attenderti in questo 2020, Bilancia. E a te la calma piatta non è che ti dispiaccia poi tanto: ne approfitti per bagnare le piante, mettere a posto l'armadio e incipriarti il naso. Per tornare perfetta dentro e fuori, capelli e cuore, sorrisi e progetti. Insomma, fai ordine come la Marie Kondo dei sentimenti. Al massimo, ma proprio se volessimo essere puntigliosi, nei primi due mesi dell'anno ti becchi una scia di Giove in quadratura, quindi a sfavore. Per te significa che la diplomazia e le buone maniere lasciano spazio a ruggiti da leone a dieta, che la voglia di trovare un compromesso in ogni situazione si fa da parte a favore di una Bilancia che sfodera la pistola e anche un elenco di lamentele e recriminazioni con il dito puntato da atterrire anche il più rompiscatole dei presuntuosi. Che poi è sempre la stessa storia: da te non ce lo aspettiamo, quindi ci spiazzi. Ma l'effetto è ancora più forte e tu più soddisfatto.

Tutto ciò però solamente perché voglio ingigantire la situazione, dato che appunto i pianetoni quest'anno sembrano essere distratti da te come dal menu quando sfila una cameriera avvenente. Anzi, la sosta di Venere (la tua amata Venere) in Gemelli proprio prima dell'estate ringalluzzisce parecchio la tua autostima e anche i tuoi glutei. Entri nella primavera trionfante come la Marianna.

SECONDA DECADE, DAL 3 AL 13 OTTOBRE

Almeno ti senti attrente, e la cosa ti tira su parecchio. Anzi la cavalcherai così tanto che nel periodo in cui avrai il favore di Venere (da aprile a luglio) arriverai a strafare: palestra, trattamenti di bellezza, giri di shopping che nemmeno Blake Lively, coccole a chi ami e tante ma tante opere di bene. Così credi di pagare il tuo riscatto a Giove e Mar-

te, che invece si mettono di traverso soprattutto ai nati nella seconda metà della decade (cioè dal 9 al 13 ottobre).

I primi possono quasi quasi restare concentrati sulla decorazione perfetta del cupcake, gli altri si ritroveranno con sbalzi di umore che nemmeno Crudelia De Mon quando scopre che i cuccioli di dalmata se la sono filata. Perderai la pazienza e anche sonoramente, non le manderai a dire da un elegante ambasciatore ma le sputerai in faccia all'interlocutore che ti ha fatto inviperire come fossero le palline di carta nella cerbottana alle medie.

In più ti sentirai stanco e con l'unico desiderio di passare intere giornate nell'area benessere della tua palestra (o immersa nella vasca piena di fanghi di alga anticellulite). Insomma, le rotture vengono allontanate da te come lo zampirone con le zanzare. Chiaro? Per il resto, comunque, tutto bene Bilancina.

TERZA DECADE, DAL 14 AL 22 OTTOBRE

Ok, bisogna calmarsi. Respirare profondamente e iscriversi a un corso intensivo di yoga riempiendo la borraccia di camomilla purissima. Non bisogna perdere la lucidità, ma nemmeno cercare di negare l'evidenza delle cose che devono cambiare, essere ribaltate o quantomeno riviste. E tu nel negare l'evidenza sei bravissimo. Lo so, non arricciare il naso!

Succede che in questo 2020 attaccano tutti insieme manco fossero fashion victim alla svendita di Manolo Blahnik: Plutone, Saturno, Giove e anche Marte. Come se non bastasse. Perdinci!

Quindi insomma, la pace sta in un'altra vita, tu adesso devi rimboccarti le maniche e parare colpi come Karate Kid. Che poi (e qui esce l'astrologa saggia che è in me, nascosta sotto i Vanity Fair e i vestiti della nuova stagione): quando c'è una tale concentrazione di stimoli tutti insieme, significa che qualcosa deve essere cambiato. O almeno riconsiderato sotto i riflettori della lucidità. Che poi, sia ben chiaro: i transiti (dei pianeti) vanno a colpire quello che non va, perché dove le cose funzionano succede davvero poco o nulla.

Le domande appariranno chiare come insegne al neon e tu dovrai dare risposte sagge, mature, meditate ma saperti anche guardare davvero in fondo in fondo al cuoricino, come quando cerchi i rimasugli di budino al cioccolato nel barattolino inesorabilmente finito.

Come se non bastasse (ma io devo dirti tutto, altrimenti come posso assicurarmi il posto di astro-

loga preferita nel tuo diario?!) Giove e Saturno a sfavore non ti pongono domande con gentilezza da lord ma piuttosto passando per un senso di frustrazione da sbronza con gli amici immediata. Ok? Però adesso lo sai e ti organizzi. Se hai bisogno, mi chiami!

Ma guardando i transiti dei pianeti veloci vediamo...

MESI WOW E COME SFRUTTARLI

Da aprile a luglio quella Venere pre-estiva che ti solletica e massaggia ti piace proprio parecchio. Goditela, perché è benessere interiore e con il resto del mondo. Quindi lisciala come fosse un gattone persiano e tu la dama con l'ermellino. Ok?

MESI FLOP E COME SOPRAVVIVERE

Nella ***seconda metà dell'anno*** quella sosta di Marte in opposizione netta ti snerva parecchio. E tu ooodi essere snervato. Keep calm e dai pure la colpa a Marte opposto se ti scappa qualche «vaffa» o qualche sfuriata di troppo. Per te, che fai del controllo la tua arma, ogni tanto perderlo può essere un brivido di piacere! Che dici???

IN LOVE WITH...

Niente, la comprensione è impossibile come mettere d'accordo un vegano con Obelix per scegliere dove andare a cena! L'Ariete con Marte si sente un supereroe, mentre la Bilancia vorrebbe solamente essere mandata in stage nella sede della sua azienda al Polo Nord. Con le foche. Tra i due c'è gelo artico!

Saturno tormenta la già tormentata Bilancia, mentre solidifica le convinzioni del già convinto Toro. In pratica, le parti sono ancora più radicate ciascuna nel suo spazio d'azione che innervosisce parecchio l'altro. Per fortuna c'è Giove che ogni tanto prende il sopravvento e tra i due scocca l'amore. Ma quando finisce, ricomincia l'incomprensione.

La Bilancia tiene d'occhio i flirt dei Gemelli, che anche se innocui la infastidiscono particolarmente. Sarà che lei, con Saturno che dà noia, vuole attorno a sé solamente persone che le diano sicurezza e senso di protezione. Ecco, in questo caso hanno sbagliato target!

Qui è amore vero, le coccole più dolci e comprensive anche se dovessero stare ore e ore abbracciati ciascuno a lamentarsi dei suoi mali. Poi per fortuna alla fine c'è un certo senso estetico che prende il sopravvento e la Bilancia propone un brindisi ai buoni propositi!

Ognuno cede un pezzetto di sé all'altro. Funziona così: che il Leone assorbe un po' di sano sale in zucca della Bilancia, che invece ha voglia di farsi convincere a fare qualche pazzia dal Leone. Tra i due è sempre la Bilancia alla fine ad avere bisogno di rassettare e rimettersi il rossetto per non dare nell'occhio... ma gli scambi saranno di sicuro interessanti.

Se la Vergine nel 2020 sta cercando un buon motivo per mandare al mare tutte le sue Birinomate buone maniere, di sicuro non sarà la Bilancia la sua compagna di marachelle ideale. Qui i ruoli si invertono e la Vergine addirittura sbuffa annoiata!

Dato che l'eros non sarà il forte del segno della Bilancia nel 2020, diciamo che l'unico modo per far combaciare le tempistiche di voglie e ardori sarà quello di accoppiarsi con un esemplare del vostro stesso segno. Ci sarà da lavorare sulla fiducia, per colpa di Saturno, ma poi potreste sciogliervi, magari commentando il buon gusto reciproco!

Per fortuna lo Scorpione adora sentir parlare di paranoie, anzi lo trova addirittura sexy! Quindi via libera a lamentele di ciascun genere, magari addirittura sul lettino dello psicanalista. La cosa lo ecciterebbe parecchio!

Ci pensa il Sagittario a imbavagliare la Bilancia e a portarla a divertirsi, che lei lo voglia oppure no! Per fortuna il Sagittario non è uno che lascia spazio al dialogo, soprattutto in amore e soprattutto nel 2020, quindi vada per i balli sfrenati che non gli permettono di sentire i tentativi di lamentela della Bilancia. Che alla fine si fa trascinare!

Qui c'è del Saturno che avanza, come l'insalata russa alla fine della cena di Capodanno! Ce n'è talmente tanto che tra Capricorno e Bilancia saranno discorsoni infiniti intrisi di una pesantezza tale per cui a sopravvivere sveglio sarà solo uno dei due.

L'anticonvenzionalità scanzonata dell'Acquario convincerà la Bilancia che ci sia sempre una via di fuga... e la Bilancia troverà tutto questo molto, ma molto sexy. Era così facile...

Ma sì dai, lo sguardo dolce dei Pesci e i loro modi da sognatori disconnessi dalla realtà inteneriscono la Bilancia, che si sente come se stesse adottando uno degli ultimi esemplari di panda con le occhiaie. Ma si vogliono un gran bene!

SCORPIONE

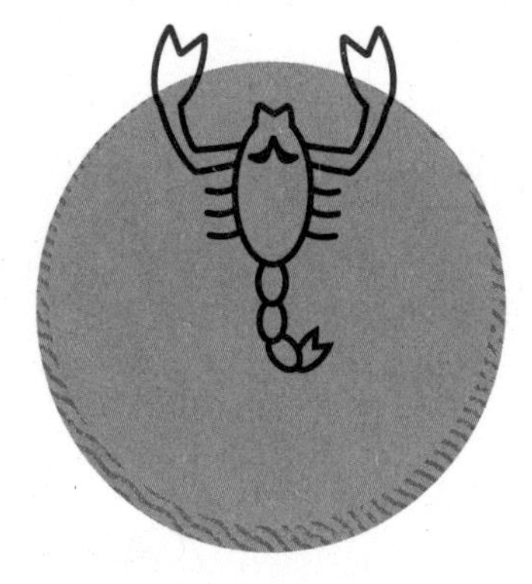

PRIMA DECADE, DAL 23 OTTOBRE AL 1° NOVEMBRE

È sempre lì, Urano, che ti guarda minaccioso come la mamma quando alzava la ciabatta dall'altra parte del tavolo e tu ti chiedevi quale sarebbe stata la vera via d'uscita del supereroe. Ma la ciabatta era sempre più veloce della risposta. Ecco, succede anche quest'anno.

E se i nati nei primi tre giorni di questa decade credono di poter tirare un sospiro di sollievo perché quell'Urano probabilmente ha già tagliato il tagliabile e ribaltato il ribaltabile (non quello dell'auto per fare le porcate, questo è un aggetti-

vo!) è bene che ascoltino seduti quello che ho da dire. Infatti Saturno e Giove (ma soprattutto Saturno) nel 2020 fanno una capatina nei primi 2 gradi dell'Acquario, cosa che non piace molto ai nati tra il 23 e il 25 ottobre. Che si ritrovano altre domande e altre grandi valutazioni da considerare che manco la Marcegaglia.

A ogni modo, per tutta la decade Urano continua appunto a dare fastidio: Urano non è un pianeta morbido e nemmeno intimo. È un tornado, un antipatico rivendicatore di spazi e verità. Modifica senza chiedere il permesso anche (anzi, direi soprattutto) le situazioni che ci siamo creati con tanta cura, facendole crescere come orchidee sulla finestra del bagno e transennandole come la Torre di Pisa quando ha iniziato a dare segni di cedimento. Ecco, noi ci impegniamo per anni a costruire questo e poi arriva Urano che soffia come il lupo sulla casetta del primo dei tre porcellini. Ci si resta male. Tuttavia, anche se adesso non pare possibile, una cosa davvero positiva c'è: Urano impone lucidità e ti dà la possibilità di staccarti dal turbinio della vita per guardare tutto come dall'alto. Come fossi in cima a un grattacielo e guardassi giù i tuoi sentimenti, come omini piccoli piccoli che si affrettano lontani.

Poi, ricordati che quello che i transiti modificano

andava comunque modificato. Se sta bene lo lasciano lì dove sta. Ok???

Comunque tra la fine del 2019 e l'inizio del 2020 Giove ti dà delle gioie. Poche e veloci, ma te le dà!

SECONDA DECADE, DAL 2 ALL'11 NOVEMBRE

Nettuno è a favore ancora per tutto l'anno e il tuo cuore si dilata come un poro della pelle nella sauna. Pronto per donarsi al mondo. Nettuno è un pianeta che a te piace parecchio perché domina i tuoi amici dei Pesci. Quindi succede che grazie a lui la tua fantasia galoppa come quella della Rowling sulla scopa della strega, si abbandona alle profondità e alle delicatezze, alle voglie e agli ideali. Sarà un anno di grandi progetti che partono prima di tutto dalla tua testa e solamente in un secondo tempo coinvolgeranno il business plan e il commercialista. In più ti gusterai tutto questo trionfo di misticismo e avrai l'impressione che le notizie, le bellezze, le persone interessanti arrivino a te come se avessi una calamita nascosta sotto la maglietta. Insomma tutto succederà, richiamato dalla tua sensibilità sviluppata meglio dei tricipiti dell'uomo forzuto del circo. E tu non sei certo uno che si lascia scappare le occasioni. Potresti perdere qualche colpo nel campo della fattività, ma

quanto a intuito sarai davvero imbattibile: fidati del tuo fiuto e segui l'istinto che ti saprà davvero guidare nella giusta direzione. Pronto? Via!

TERZA DECADE, DAL 12 AL 22 NOVEMBRE

E niente, Scorpionaccio (detto con amore e anche un po' di invidia), la decade a cui va davvero meglio è proprio la tua. Sei contento? Dovresti! Perché tutti i pianeti che si trovano a transitare nel segno del Capricorno (tuo compagno di progetti, di business e anche di maniacale controllo sul mondo) a te portano bene. Anzi, quasi portano meglio a te che a lui.

A ogni modo, dicevamo, Plutone, Saturno e anche Giove sono a tuo favore per tutto l'anno. Di più per i nati nella prima parte di questa decade, ma è una questione di puntiglio. La passione profonda smuove le viscere e in questo sei un maestro. Se sei scivolato sappi che nel 2020 ti rialzerai manco fossi atterrato su di un tappeto elastico. La determinazione non ti manca, la lucidità neppure e grazie a Giove innaffierai tutto questo di risate e taniche di spritz. Insomma goderti la vita sarà una priorità, mettendo da parte quel musone sospettoso che spesso ti rende ombroso come Dario Argento.

Quindi, per riassumere: Plutone ti rinvigorisce le passioni come si fa con l'insalata di riso del gior-

no prima, Giove ti fa scuotere le natiche e godere la vita come una cheerleader alla finale, infine Saturno a favore ti rende determinato nel raggiungere i tuoi risultati. Perché si sa che perdere è una cosa che ti infastidisce parecchio... ma quest'anno non è un'opzione contemplata! Ok?

Ma guardando i transiti dei pianeti veloci vediamo...

MESI WOW E COME SFRUTTARLI

Da aprile a dicembre le cose vanno bene, anche senza esagerare. Hai spazio per metterci del tuo perché la fortuna aiuta ma non fa mica tutto da sola. Poi, nel 2020 le tre soste di Mercurio, pianeta del pensiero che tu ami di un amore inevitabile come quello per Brad Pitt, sono tutte nei segni d'acqua, quindi a tuo favore. A febbraio, marzo, giugno, luglio e ottobre la tua testolina andrà a razzo e tu gongoli. Ottimo!

MESI FLOP E COME SOPRAVVIVERE

Diciamo che, a parte il mese di *aprile* nel quale vorresti sterminare l'intero genere umano, moscerini della frutta compresi, tutto il resto è una figata. Che poi uno Scorpione sempre di buon umore non si è mai visto, quindi questo mese riporta solamente un po' di equilibrio.

IN LOVE WITH...

Il flirt è tutto legato al dialogo e allo scambio continuo di paranoie su diversi livelli di patologia. Però c'è amore in fondo, ve lo giuro!

Sarà Urano con le sue prove che vi unisce? Forse nella paura di cambiare? Ecco, sia quel che sia, ma in questo 2020 sarete legati come una fragola alle sue foglioline e abbracciati stretti come un'asola al suo bottone. È amore, oltre che scambio di protezione reciproca!

Se il dialogo tra voi non è mai stato un problema, diciamo che ci vorrà questo 2020 per dare libero sfogo anche ai piaceri con una convinzione che forse un accordo lo troverete solamente in orizzontale... dove non esiste chi ha ragione!

Qui l'amore è viscerale e profondo e anche parlare degli acciacchi di salute diventa davvero sexy. Insomma, lo Scorpione si apre davvero solo con il suo amico Cancretto e a letto non ci sono rivali!

Dove il Leone pensa all'abbinamento migliore per la sua nuova borsetta, lo Scorpione sta valutando rivoluzioni dell'io interne ed esterne tanto da aver bisogno del messo catastale. Per farla breve, siamo su due ponteggi diversi... e il Leone di costruire non sembra davvero avere alcuna intenzione!

La Vergine, anche in questa sua nuova temporanea veste, continua a trovare nello Scorpione chi sappia comprendere e soddisfare ogni sua pulsione profonda. Che sia desiderio o psicanalisi, qui c'è tutto in abbondanza!

Quando si cerca dell'eros per sollevare il pensiero dalla quotidianità con lo Scorpione si cade sempre bene! E così la Bilancia nel 2020 cercherà sollievo tra le lenzuola dello Scorpione... sempre pronto ad ascoltare paranoie, ma anche a dare piacere meglio di un massaggiatore shiatsu!

C'è davvero amore qui, perché lo Scorpione in fondo pensa sempre che nessun altro se non un suo pari-gradi astrologico possa comprenderlo. Ecco, tra le sue braccia saprà trovare la giusta protezione come un würstel nel pane per l'hot dog!

No, tutta quella sicurezza da guida turistica del Sagittario fa proprio imbestialire lo Scorpione, che si chiede se ci sia un cuore là sotto o solamente un gps! Saranno liti audaci ma molto divertenti (viste da fuori).

In questa coppia si parla di progetti e di grandi costruzioni che nemmeno il ponte sullo Stretto di Messina! La voglia di fare e soprattutto di fare bene, insieme e alla grande, è tale che anche i weekend passati a scegliere le piastrelle del bagno avranno un che di romantico!

Tutto il tormento scorpionico non trova soddisfazione nella semplicità dell'Acquario. Come è possibile risolvere tutto così in fretta? Lo Scorpione scuote la testa.

Lo Scorpione crede che i Pesci abbiano bisogno di lui per sopravvivere. Non sa che anche i Pesci pensano la stessa cosa. Il bello è che in tutti i casi saranno inseparabili!

SAGITTARIO

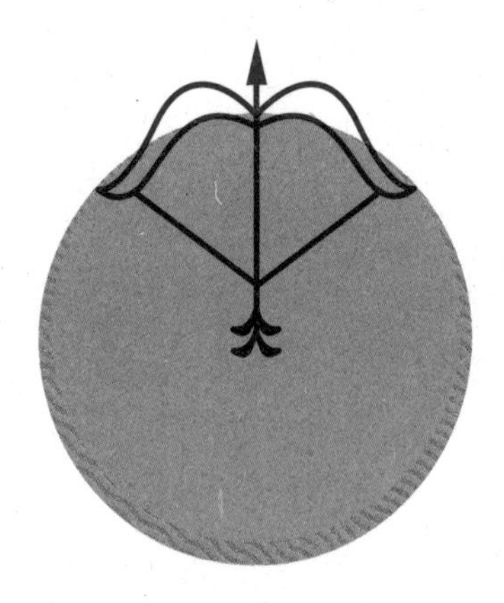

PRIMA DECADE, DAL 22 NOVEMBRE AL 1º DICEMBRE

Niente. Calma piatta. Silenzio di tomba. Come la particella di sodio nella bottiglia dell'acqua. C'è l'eco planetario attorno a te. Al massimo, impegnandomi, posso vedere una Venere che per qualche giorno nella tarda primavera ti si accanisce contro, giusto per smuoverti un po', per darti qualche motivo di cui lamentarti, per farti venire qualche insicurezza sulla quale struggerti. Insomma, ti dà un buon motivo per sbronzarti con gli amici. Ah, no, c'è un altro piccolo momento di insofferenza, questa volta mentale, dato a febbraio e marzo da Mercurio che

si ferma in quadratura al tuo segno. Anche qui, roba che si vede solo al microscopio, ma con te quest'anno devo essere una biologa stellare!

Quando capitano anni così, sempre posto che è necessario dare un'occhiata anche ai transiti su Ascendente, Luna e Venere (almeno!), sappi che la tua essenza di Sagittariano ha la libertà di emergere in tutta la sua naturale indole, in tutta la sua caratterizzazione, in ogni profondità della tua persona. Gli anni scarichi servono per tornare in equilibrio, come sugli sci d'acqua!

SECONDA DECADE, DAL 2 ALL'11 DICEMBRE

Preparati, Sagittario, che per te sarà davvero un anno di introspezione. Smettila di prenotare voli charter anche mentre sei in coda per farti affettare il crudo e preparati invece a un grande viaggio, gratis per di più, nel tuo cuoricino, nella tua mente, nei sentimenti che sono trasportati in ogni parte di te come i globuli bianchi nel sangue. Ok? Zitto, quest'anno starai zitto. Sì, mentre lo scrivo anche io stento a crederci...

È che contemporaneamente avrai Nettuno e Venere contro e questa cosa porterà a momenti in cui quella sicurezza in te stesso che ti fa aprire la bocca ben prima di aver revisionato il concetto con la testolina, andrà in crisi. Sai che ti dico? È un bene. Anzi benissimo.

Certo, qualche volta prenderai delle cantonate, spesso non avrai voglia di guardarti allo specchio (prima dell'estate) e ti capiterà di sentire frenato anche quel movimento fluente e innato su e giù da ogni mezzo di trasporto purché ti si porti più lontano possibile. Avrai voglia di stare a casa, il cuoricino da dentro busserà più forte del citofono per uscire con gli amici, il bisogno di chiedere consigli sovrasterà la voglia di darne (anche quando non sono stati richiesti!).

Nettuno contro è il viaggio più meraviglioso che tu possa fare, Sagittario. Lo dice anche quel gran fico di Jung.

TERZA DECADE, DAL 12 AL 20 DICEMBRE

Marte è a favore per un bel pezzo e la cosa ti ringalluzzisce parecchio! Ecco, questo è l'unico transito del quale dovrai occuparti (non preoccuparti, eh!) per tutto il 2020. Contento?

La voglia di conoscere, sapere, ricercare, festeggiare e chiacchierare tipica del tuo segno quest'anno può darci dentro... Inizia a riempire la cantina di bottiglie e a fare scorta di piatti di carta pronti all'uso, perché le cose accadranno così, senza

preavviso, proprio come piace a te! E se il bello sarà che Marte a favore per tutti gli ultimi sei mesi dell'anno renderà ancora più impavida e audace la tua condotta, facendoti al massimo contare fino a due e mezzo anziché a diecimila prima di fare le cose, qualche volta potrebbe anche farti peccare di disattenzione.

Ora, tu sei un segno di fuoco, proprio di quelli da fiamma sul barbecue, caldo come la torcia olimpica e pronto ad arrostire gli altri come hamburger di chianina. Condividere ti piace particolarmente, soprattutto quando trovi compagni di viaggio o di chiacchiera. Marte a favore aumenta di certo queste qualità e tu gongoli, ma porta però a far diminuire anche la tua scarsa capacità di autocontrollo, attenzione emotiva verso chi ti circonda o magari ti segue qualche passo indietro, diffidenza sgamata verso chi ti circonda. Quindi, a meno che la decisione non sia su quale delle bottiglie di rosso stappare per prima, per tutto il resto promettimi che sarai accorto, saggio e che rifletterai per bene prima di agire. A ogni modo è un anno da partenze sul razzo!

Ma guardando i transiti dei pianeti veloci vediamo...

MESI WOW E COME SFRUTTARLI

Gennaio non è male, ma il bello arriva nella *seconda metà dell'anno* con la sosta di Marte in Ariete e quindi a tuo favore! Che dire? Nessuno meglio di un segno di fuoco caliente e audace come te saprà godere di questo transito fortunato: voglia di fare, anzi di strafare, sex appeal da lap dancer e tante ma tante energie, che quasi potresti affittarne un po' a carissimo prezzo!

MESI FLOP E COME SOPRAVVIVERE

Tra febbraio e marzo c'è la sosta di Mercurio in Pesci che ti infastidisce, perché forse chiuderà qualche passaggio autostradale veloce tra il cervello e la bocca. Ma poco male, passa subito e tu torni il chiacchierone insopprimibile di sempre. Poi, *da aprile a luglio* Venere, pianeta dell'amore ma anche del savoir faire, si ferma nel segno dei Gemelli e quindi in opposizione a te. In quei mesi sarà facile che escano dalle tue labbra adorabili paroline spazientite e decisamente poco simpatiche. Sii gentile!

IN LOVE WITH...

C'è amore - e si vede - tra questi due, più del solito! Un'overdose di Marte a favore dona a questa unione un'intesa perfetta, meglio di una coppia di ballerini di rock acrobatico. Pronti? Saltate!

Goliardia, così tanta da attirare l'attenzione e anche i richiami dell'amministratore di condominio! Insomma i piaceri vi inondano come i gavettoni a Ferragosto, ma nessuno dei due ha intenzione di fermarsi (né di scusarsi)!

Nessuno dei due userà delicatezze o simili verso il partner: le litigate saranno come quelle di un'aula di tribunale alla Perry Mason, all'ultimo sangue. Tutto ciò, per due con la lingua allenata come voi, non sarà certo un problema, ma piuttosto un sensualissimo duello.

Per fortuna c'è il Sagittario a distrarre il Cancro senza lasciargli nemmeno il tempo di dire i suoi no. Insomma è bene che il Cancretto si abbandoni fiducioso a chi sembra avere la situazione sotto controllo e tanta ma tanta voglia di divertirsi!

Un amore così non si vedeva da tempo: la voglia di stare insieme è tale che andrete via prima anche dalle cene con gli amici e schiaccerete il bottone stop per fermare l'ascensore... ogni minuto insieme sarà preziosissimo!

Strano a dirsi, ma tra la Vergine e il Sagittario nel 2020 ci sarà amore. La prima non si spazientirà davanti a un Sagittario e alla sua tipica indole da saputello, ma anzi qualche volta lo guarderà con amore, pronta a imparare cose nuove dalla sua inesauribile fonte di conoscenze immagazzinate.

Per fortuna ci pensa il Sagittario a far divertire la Bilancia, che per colpa di Saturno può essere spesso un po' pensierosa o musona. Qui non c'è problema, perché il Sagittario ha vitalità da vendere e da condividere come chi porta al picnic la birra fresca per tutti.

No, proprio non ci si capisce. Il Sagittario non riesce a comprendere come mai questo Scorpionaccio non riesca a divertirsi davvero. Ma che problemi ha? E poi, mica li avrà solamente lui! Noioso...

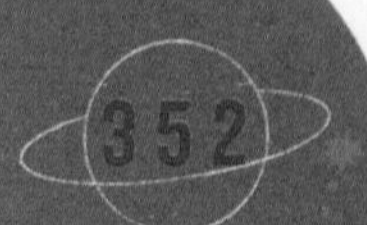

Non sarebbe possibile altrimenti, dato che dialogare è davvero l'attività principale del Sagittario in tutto il 2020. In una coppia di Sagittario al quadrato avrete bisogno di darvi i turni per parlare e di fare cose diverse da potervi raccontare con piacere. Impossibile pensare di uscire con voi e avere voce in capitolo!

Tutta quella sicurezza profonda e magnetica del Capricorno affascina parecchio il Sagittario, che tutto sa ma che spesso non sa come mettere in pratica. Ecco, qui questo super sexy Capricorno è di poche parole ma tanti fatti. Che pathos!

Non si sa chi dei due abbia più voglia di guardare al futuro. Nel frattempo ci si incastra perfettamente dal flirt alle notti di fuoco. Nessuno si lamenterà dello scarso romanticismo!

Non si sa bene chi ascolta chi, dato che il Sagittario ha tanto da dire ma i Pesci hanno tanto a cui pensare. Insomma, qui anche il silenzio (poco) sarà pregno di idee, progetti, passioni. E dove c'è dialogo c'è amore, per questi due.

CAPRICORNO

PRIMA DECADE, DAL 21 AL 31 DICEMBRE

Urano lotta con te, per te, in tuo nome. E la cosa ti piace parecchio. Ora, Capricornone, tu non sei il tipo che si spaventa facilmente, che si costruisce tane arredate di noccioline e abbonamento Netflix come gli scoiattoli prima dell'inverno. Tu sei uno che vuole sempre di più, disposto a vivere ogni esperienza fino in fondo senza stare troppo a pensare alle persone che attorno a te possono starci male se decidi di partire per un anno sabbatico nella periferia Sud della Groenlandia. L'indipendenza e l'ambizione prima di tutto.

Ecco, quindi sarai felice di sapere di questo tran-

sito di Urano a favore che ti porterà a cavalcare decisioni e occasioni come Atreyu con FortunaDrago nella *Storia Infinita* (se non sai di cosa sto parlando, sappi che invidio la tua giovane età, ma la considero comunque una lacuna da colmare).

Urano arriva senza avvisare, come lo zio d'America, porta novità e cambiamenti, buone occasioni da prendere al volo senza molto tempo per riflettere. In questo il tuo sangue freddo e i tuoi obiettivi sempre chiari nella testa aiutano non poco. Dunque, preparati a fare i bagagli (anche emotivi, non per forza fisici) e ad abbandonarti a nuove ed elettrizzanti esperienze.

Le soste di Mercurio poi a gennaio, febbraio e ottobre saranno a tuo favore, aumenteranno la lucidità di pensiero, già degna di un Alessandro Magno redivivo. Mi mandi una cartolina?

SECONDA DECADE, DAL'1° AL 9 GENNAIO

Nettuno e Giove sono a favore, Capricornaccio, e tu ti senti un sognatore in questo 2020. Altro che stratega con calcolatrice e dizionario dei sinonimi e contrari, quest'anno ti vedrai buttare il cuore oltre l'ostacolo senza nemmeno aver valutato prima le possibili conseguenze. E la tua logica? E quella rinomata capacità di tenere la posizione in pugno più stretta del biglietto del concerto del tuo idolo? Sfumate, a fronte della leggerezza che porta Giove (benvenuta, conoscendoti!) e della magia di Nettuno che aumenta la capacità di sognare prima di studiare, di sentire prima di interrogare. Chiaro?

Insomma sarai un visionario, un innovatore con la voglia di sentire i desideri del mondo che ti circonda, guidato dalle emozioni come dal profumo del ragù della mamma sulle scale di casa fino alla porta. Sarai sensibile e addirittura con la voglia di abbracciare e farti abbracciare... quando chi ami ti chiederà un gesto di protezione ti abbandonerai a qualcosa di decisamente più caloroso della solita pacca sulla spalla. Che amore! Tutta la tua granitica durezza, impenetrabile come il castello del re di Francia, si scioglierà al primo gesto di affetto e tu sarai pronto ad abbandonarti ai piaceri e alle emozioni come alle onde dal mare con il materassino a forma di ananas. Che meraviglia!

TERZA DECADE, DAL 10 A 19 GENNAIO

Ok, Capry, siediti. Ho un sacco di cose da dirti e tu sei uno che alla fine ha le domande da fare.

Allora, come avrai capito, Plutone sta arrivando nei tuoi gradi e ci starà parecchio: facci il callo fin da subito. Spero che tu sia arrivato a leggere questo capito dopo aver sviscerato tutti quelli prima del manuale del giovane apprendista astrologo e che adesso le cose ti siano chiare, ma se così non fosse corri subito ai ripari (e ai capitoli precedenti).

Insomma, succede che il pianeta più potente, viscerale, profondo, desiderante, passionale e rivoluzionario sta per scaricare tutte le sue energie sul tuo Sole. Se pensavi a un anno tranquillo, fai domanda al comune per cambiare segno. In più Saturno, il tuo amato Saturno, per non essere da meno segue Plutone e anche lui si congiunge al tuo Sole. Ora, tu ami Saturno quindi sopporti meglio l'affaticamento che ti propone, ma ricordati che lui vuole risposte chiare a domande che fingi di non sentire. E unito a Plutone che ti stravolge puoi scordarti la leggerezza di chi passa i pomeriggi a fare m'ama non m'ama con le margherite. Ok?

È un anno in cui dovrai ascoltare la parte più profonda di te e dare risposte mature, intelligenti, fattive e solide. Se lo fai ti spiani la strada per una vita meravigliosa. Certo, Giove a favore ti dona quella giusta dose di sicurezza che ti sarà necessaria per non sentirti solo a combattere come Don Chisciotte, soprattutto mentre Marte in sosta in quadratura (quindi a sfavore) ti asciugherà energie come si fa con l'asciugamano per terra quando la lavatrice ha perso acqua. Sei pronto? Ma sì, tu sei nato pronto!

Ma guardando i transiti dei pianeti veloci vediamo...

MESI WOW E COME SFRUTTARLI

Diciamo che Giove in sosta nel tuo segno *per tutto l'anno* aiuta, qualsiasi cosa succeda! Galleggi inaspettatamente anche quando le cose sembrano non avere vie d'uscita e approfitti di questo pianeta per prendere decisioni ottimiste e allegre. Come dire: se ci sono dei rallentamenti nella tabella di marcia dei tuoi progetti, ne approfitterai per berti una birra con gli amici. Questa goliardia non è da te, ma ti ci abituerai in fretta!

MESI FLOP E COME SOPRAVVIVERE

Quel Marte a sfavore per *così tanti mesi* non aiuta, soprattutto perché tu Marte lo ami abbastanza e le sue caratteristiche sono vitali per te. Quindi potresti essere nervoso, sentirti stanco come uno straccetto della polvere dopo le pulizie di primavera, avere voglia di uccidere tutti, compresi i passanti sconosciuti che masticano la cicca troppo rumorosamente. Ecco, più che altro per sopravvivere, riposa. Più che puoi. Ok?

IN LOVE WITH...

C'è troppo Saturno nel Capricorno che sovrasta le voglie dell'Ariete aizzato da Marte. Insomma, sarà più facile che tra questi due ci siano scambi di opinioni, anche se molto molto vivaci, e tanta voglia di mettersi in discussione come chi deve scegliere l'indirizzo del corso di laurea. I dialoghi sono di altissima caratura introspettiva, altro che sesso!

Il Toro pende dalle labbra del Capricorno per tutto il 2020, come da quelle del fratello maggiore o del maestro di boxe! In sostanza, dove il Toro sta iniziando a voler costruire ascoltando anche il proprio io più profondo, arriva il Capricorno capocantiere con l'elenco dei progetti e tanti ma tanti insegnamenti. Utili, per carità!

Il Capricorno risulterà troppo noioso per un Gemelli che ha proprio un'enorme voglia di divertirsi! Ecco, dovrete trovare un compromesso, come alle giostre: solamente due giri, così sarete soddisfatti entrambi e il Capricorno potrà mantenere il ruolo di controllo che gli piace così tanto...

È vero che qui le visioni sono sempre opposte, ma quest'anno i due potrebbero stupirci... e arrivare persino a un accordo. Saturno, quando ci si mette, fa miracoli!

Quanto piace al Capricorno insegnare al suo Leoncino e magari bacchettarlo per aver speso troppo o aver scelto troppo in fretta?! Tanto, ma quest'anno il Leone adorerà ascoltare, perché quel barboso Capricorno sembra saperne parecchio!

Due segni di terra, sotterrati i disaccordi e completati i doveri, sanno decisamente come godersi la vita. E così sarà per questa coppia, efficiente sia sopra sia sotto le lenzuola!

La leggerezza non sarà di casa e vi consiglio di tenervi lontano da serate con questi due, che però, insieme, avranno tanti di quei problemi divini di cui discutere che noi umani proprio non possiamo nemmeno immaginare!

Non si parla mica di sciocchezze, ma di grandi opere per costruire insieme e allargare... se non la famiglia, almeno il soggiorno! Le feste le si

lasciano ad adolescenti senza sale in zucca, questa coppia sarà matura a qualsiasi età!

Il Capricorno ascolta per ore il Sagittario e poi, con una sola frase modello colpo di spada di Zorro, risolve la situazione. È indiscutibile: si sente un eroe. E in quanto eroe si merita un premio... di solito erotico!

Mamma mia questi due dovranno farsi delle tabelle di marcia da seguire pedissequamente e dividere in parti uguali il tempo insieme destinato a progetti di crescita (personale e di coppia) e quello destinato al sesso sfrenato. Insomma, una vita intensa!

Tra un Capricorno e un Acquario c'è sempre da imparare, dato che i due si stimano parecchio... e questa volta forse l'Acquario la smetterà di pensare che il Capricorno sia barboso e resterà stupito dalla sua passione profonda e, udite udite, gioviale!

Che bello quando un Pesci si getta tra le braccia di un Capricorno e lascia che lui si occupi di tutto. Piace a entrambi. Tutti soddisfatti!

ACQUARIO

PRIMA DECADE, DAL 20 AL 30 GENNAIO

Tieniti sempre pronto con la mongolfiera monoposto gonfiabile ripiegata nella tasca dei pantaloni, perché la situazione può cambiare in ogni momento. A ogni soffio di vento. Ma quanto ti eccita questa cosa? Inutile che adesso cerchi di spiegarti che questi cambiamenti potrebbero (e dico, potrebbero) a primo acchito essere poco desiderati o desiderabili, perché tu alla parola "cambiamenti" hai già iniziato a scrivere post it di addio. Che gli addii non sono mai stati il tuo forte, quindi un post it basta e avanza.

Ricapitolando: Urano sta lì ad aspettare che tu faccia una mossa falsa per toglierti certezze e chiederti di buttarti nella mischia, ma tu con questo tipo di minacce vai a nozze quindi non vedi l'ora che si faccia sotto. Unico consiglio che mi sento di darti: tu sei un tipo risolutivo e pratico, per questo sono davvero poco preoccupata, tuttavia come tutti i transiti dei pianeti lenti anche questo è rivoluzionario, vuole dirti qualcosa di importante e ti dà la possibilità di fermarti, guardarti intorno e dentro con lucidità, toccare con mano una parte sofferente e pulsante dei tuoi pensieri e delle tue passioni. Usala anche in questo senso e non solo per dare una ventata di novità alla tua vita, come quando decidi di cambiare tutta la biancheria della casa. Ok?

Poi, Venere sta a tuo favore quando si ferma nei Gemelli prima dell'estate e la cosa ti fa bene non solo per l'amore ma anche per riscaldare un po' i tuoi modi. Che con Urano si sono affilati come le forbici al passaggio dell'arrotino. Chiaro?

SECONDA DECADE, DAL 31 GENNAIO ALL'8 FEBBRAIO

La sosta di Venere nei Gemelli tra aprile e luglio è davvero tutta a tuo favore e sarà il transito più importante di questo 2020. Ah no, anche Marte quando si ferma nell'Ariete fa sentire più audaci e sexy quelli di voi nati nella seconda parte della decade. Dal 2 febbraio, per capirci.

Quindi i pianetoni non ti si filano e tu un po' ti dispiaci, perché sei sempre pronto ad affrontare avventure meglio di Johnny Deep pirata. Invece, in questo 2020 ti toccherà soltanto parlare d'amore, grande amore, amore da letto. Una noia.

Il bello è che Venere a favore, a uno come te, fa bene assai e non si sa mai che possa davvero farti venire voglia di coccole, di abbracci, di confidenze e anche di mostrare qualche debolezza. Insomma ti rende più umano e meno supereroe insensibile al freddo, alla fame e anche alle emozioni. Potremmo accorgerci che batte un cuore dietro a tutti quegli strati di abiti di tendenza!

Goditi anche la dolcezza che ti inonda il cuore come la prima sorsata di caffè caldo da Starbucks. E soprattutto, non sputarla via!

TERZA DECADE, DAL 9 AL 18 FEBBRAIO

Delle tre decadi tu sei quella che si gode di più la sosta di Marte in Ariete. Fortunello. Perché questo Marte con le sue caratteristiche audaci e poco sentimentali non ti farà mettere in discussione il tuo modo di vivere la vita: freddo come la borsa frigo e tagliente come l'affettatrice del macellaio.

Hai tante altre doti, sia ben chiaro! Comunque, dicevamo che nel 2020 i transitoni poco ti toccano, a parte appunto questa sosta di Marte in sestile, quindi a favore, da agosto in poi. In questo periodo, se già il tuo decisionismo è spesso messo in pratica prima ancora che comunicato, non avrai davvero voglia di stare a discutere. Tanto meno con te stesso, con il cuore, con i sentimenti o con qualsiasi consiglio altrui non richiesto e che è riuscito a penetrare gli uomini armati che difendono le tue decisioni.

In compenso, sempre tutto questo Marte ti rende sexy come non ti si vede spesso. Di questo ci rallegriamo, soprattutto perché avrai ancora meno educate pudicizie a tenere a freno le tue voglie e i tuoi desideri erotici sempre meno tradizionali. Sappi che tutto ciò ci piace assai.

Ma guardando i transiti dei pianeti veloci vediamo...

MESI WOW E COME SFRUTTARLI

Com'è, come non è, *da aprile a dicembre* c'è sempre un transito veloce a tuo favore. Quando si dice la fortuna! Che sia Venere o Marte capita comunque che il tuo cuore sia riscaldato, d'amore o di passione... poco importa!

MESI FLOP E COME SOPRAVVIVERE

Marzo non è tra i mesi migliori per la stabilità dei tuoi nervi e la costanza della tua pazienza, e a *ottobre* la tua testolina potrebbe chiedere una vacanza fuori periodo per tornare in sé. Poco male, in tutti i casi un po' di sana solitudine per pensare con calma farà benissimo!

IN LOVE WITH...

Anche se l'Ariete è in un periodo paranoide ancora per colpa di Saturno, basterà una follia dell'Acquario raccontata bene per fargli prendere su due cosette e partire senza conoscere bene la meta. Fisicamente o anche solo emotivamente. Insomma, l'Acquario sprona e l'Ariete non se lo fa ripetere due volte. Tutto ciò risulta particolarmente attraente per entrambi!

Il Toro è pronto con carriolate d'amore e di ragù a conquistare questo Acquario che sembra lasciare aperto qualche spiraglio di cuoricino. Ecco, il Toro non se lo fa ripetere due volte e l'Acquario si ritrova avvolto nelle coccole, che lo voglia oppure no. Ma alla fine ci sta comodo!

Il bello è che vi comporterete come i due adolescenti di *Jack Frusciante è uscito dal gruppo*... o come i due amici di *Harry ti presento Sally*. Nessuno dei due avrà voglia di mettersi a tavolino per pianificare il futuro, ma solamente quella di viverlo a pieno ogni giorno. Così si fa!

Al Cancro questa scaltrezza dell'Acquario sta davvero sulle palle, soprattutto perché lui si sente impantanato come la macchina quando vai a fare cose maiale in campagna. E poi lui (il Cancro) ha sempre bisogno di una certa emotività che va compresa e coccolata, piano piano. L'Acquario proprio in questo non ci sa fare!

Folli follie in amore ma anche in complicità: sarete inseparabili come due amici al liceo e avrete davvero voglia di condividere ogni pensiero e ogni progetto. Certo, tra voi c'è un equilibrio difficile tra i capricci da primadonna del Leone e lo sguardo volto all'infinito dell'Acquario, decisamente distratto sul qui e ora. Ma questa comunione d'intenti non vi darà modo di starvi reciprocamente lontani.

Se tutte le coppie fossero così, si litigherebbe ordinatamente e senza fare chiasso.

Certo, la passione viaggia su un altro binario, ma di sicuro qui il dialogo è così aperto e possibilista da sfiorare i pensieri galileiani. Che meraviglia d'ingegno!

Dove la Bilancia pensa, l'Acquario fa; dove la Bilancia si tormenta, l'Acquario apre un prosecco. Facile e risolutivo. E sexy, per di più.

E niente, questo Scorpionaccio non vuole risolvere i problemi ma ci si immerge e ci fa il bagno come nei sali del Mar Morto. L'Acquario proprio non vuole farsene una ragione. I due si scornano...

Il romanticismo non è contemplato ma nessuno dei due avrà il tempo per accorgersene, né tantomeno per lamentarsene... L'eros prende il sopravvento, data la risolutezza di entrambi. In tutti i campi, anche in questo!

Questi due gireranno con il taccuino degli appunti... soprattutto perché l'Acquario ancora più del solito sente che ci sono cose che stanno cambiando. E chi meglio del Capricorno per fare da torre di controllo?

Tra i due c'è gelo. Ma proprio perché il gelo piace a entrambi sarà possibile, soprattutto in questo 2020, che si decida di affrontarlo eliminando le distanze di sicurezza e magari slacciando le cinture del cuore. Ma non vorrei esagerare!

Potrebbe addirittura essere che l'Acquario, spinto da tanta voglia di novità, si fermi ad ascoltare le astruse stranezze senza fondamento dei Pesci. Che gli altri chiamano sentimenti. C'è sempre qualcosa di nuovo da imparare...

PESCI

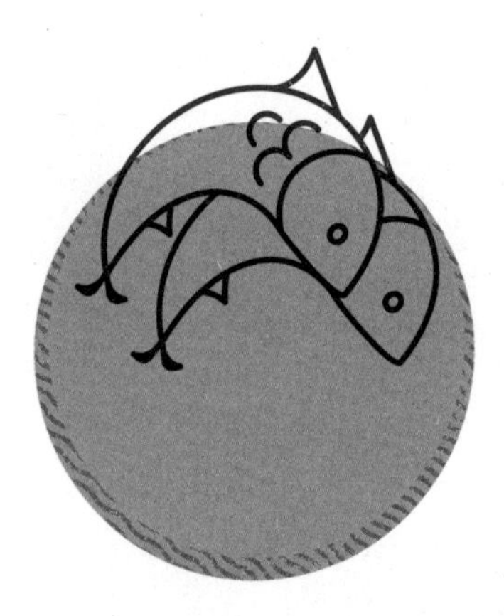

PRIMA DECADE, DAL 19 AL 29 FEBBRAIO (QUANDO C'È)

Urano a favore (in sestile, ma che te lo dico a fà) è il transitone di questo 2020. Certo, tu non hai davvero nessuna intenzione di capire che cosa sia questo Urano perché ti spaventa parecchio e quando ti spaventi speri che arrivi un cavaliere sul cavallo alato a prenderti per il mollettone e portarti via con sé. Invece ti tocca fare i conti con il fatto che Urano arriva e ti fa fare cose che mai avresti immaginato, riportando te, le tue ballerine e tutti i tuoi strati della gonna di tulle tra le decisioni serie e

reali della vita vera. Ti pare poco? Considera anche che, pur essendo un bel transito (cioè favorevole), ti toccherà decidere, darti da fare, organizzare e riorganizzare parte della tua vita. Quale parte, a ora, non è dato sapere!

Il bello è che le tre soste annuali di Mercurio saranno tutte a tuo favore: a febbraio, marzo, giugno, luglio e ottobre, e almeno in questi periodi la tua testolina ragionerà come se ti avessero impiantato il cervello di un ingegnere. Splendido.

Un'altra cosa bella è che ti beccherai, se pur di striscio, anche Giove a favore. Ottimismo e leggerezza, caso mai in tutto questo subbuglio ne perdessi un pochetto.

Il brutto è che a giugno la sosta di Venere in quadratura non aiuta, rendendoti più difficile interagire con pazienza con le novità. E anche con lo specchio, ma questo è un problema minore.

Tutto chiaro Pesciolino? Keep calm e nuota (come direbbe Dory).

SECONDA DECADE, DAL 1° AL 9 MARZO

Per te avere Nettuno a favore è come per un calciatore segnare il rigore che decreta la vittoria ai mondiali. Una figata senza senso. E in questo 2020, ancora per tutto l'anno, l'avrai proprio congiunto al tuo Sole.

La tua natura sarà ancora più forte e inevitabile in ogni sfaccettatura: magica, intuitiva, sensitiva tanto da far scappare i vampiri a gambe levate neanche se fossi di ritorno dalla sagra della bagna cauda! Gli unici consigli che ascolterai saranno quelli dei biscotti della fortuna, le uniche sensazioni che ti guideranno saranno quelle dell'intuito e dell'istinto, e soprattutto sarai pronto come una sirenetta che si fa trascinare dalle onde dei viaggi morbidi: del cuore, degli ideali, dei progetti e dei cambiamenti.

Tutto sarà morbido ed etereo, magico e sensibile. Il tuo cuore sarà aperto e in contatto con il bene del mondo con una modalità da far invidia al Dalai Lama e a Sai Baba insieme. Continuerai a dimenticare di pagare le bollette e a uscire senza calze a dicembre, ma in compenso i tuoi sogni saranno così ampi da lasciare tutti senza fiato, soprattutto quelli che ne saranno coinvolti. Perché tu mica pensi solo per te, sia chiaro: il tuo amore cosmico si porta dietro come in pedalò tutti coloro che ami davvero.

E se tra giugno e luglio almeno una parte della sosta di Mercurio in Cancro ti sarà favorevole per dare man forte con l'intelletto al tuo pensiero mistico e ultraterreno, Venere in sosta in quadratura a maggio e giugno ti mette invece qualche bastone

tra le ruote e ti fa salire qualche sana incazzatura in un mood generale da Madre Teresa. Poco male.

TERZA DECADE, DAL 10 AL 20 MARZO

Uff quante cose, Pesciolone! Giove, Saturno e Plutone tutti a favore. Tutti pronti a prenderti in braccio come i ballerini di Madonna al concerto. Meraviglia! Praticamente succede che Plutone ti ricorda che le vere passioni sono quelle che partono dalle viscere più profonde del tuo desiderio. Come se ci fosse bisogno di ricordartelo! Però tu spesso ti perdi nell'ideale e quello che immagini diventa più forte di quello che vivi, e proprio per questo Plutone è qua a farti sentire che in questo 2020 sarà il corpo, con i suoi istinti e i suoi piaceri, a indicarti la via. Per fortuna sono piaceri molto piacevoli.

Giove condisce il tutto con tanta fiducia in te stessa (che qualche volta si fa desiderare) ma anche con la voglia di vivere la vita sempre come se fosse l'ultima sera delle vacanze. E bene! Infine non può mancare anche Saturno, al quale sei davvero poco abituato. Però è a favore, quindi ti fa mettere la testa a posto, ti fa prendere decisioni serie e ponderate e addirittura ti fa prendere decisioni, in generale. Il che è già un miracolo! Dunque, passioni travolgenti

sì, ma con sale in zucca. Sembra strano ma sarà così. Che vuoi di più?

Ma guardando i transiti dei pianeti veloci vediamo...

MESI WOW E COME SFRUTTARLI

Dei pianeti lenti quello che ti farà di sicuro più felice sarà Mercurio, che decide di dedicare le sue tre soste proprio ai segni d'acqua, come te. *Febbraio, marzo, giugno, luglio e ottobre* ti daranno una meravigliosa parlantina e capacità di pensiero logico fluente e ingegnoso. Anche se sull'ingegnoso con te si casca sempre benissimo!

MESI FLOP E COME SOPRAVVIVERE

La sosta di Venere nei Gemelli non ti piace, soprattutto perché ti renderà insicura e, unita a quel Giove a favore, potrebbe farti abbandonare un po' troppo lascivamente ai piaceri della tavola. E bene, diciamo che non corri grandi rischi, ma in generale *prima dell'estate* sarebbe bene fare bagni di autostima e massaggi rilassanti.

IN LOVE WITH...

Strano ma vero, tra voi c'è amore molto prima che assoluta e determinata incomprensione di principio. L'Ariete avrà la sensazione che i Pesci lo capiscano con un colpo d'occhio nei suoi travagli interiori e quindi vi si abbandonerà. E allora, si chiede l'Ariete, quando i Pesci sono muti non stanno contando le bollicine ma ascoltando?! Questo concetto gli era del tutto nuovo, sarà una bella scoperta del 2020!

Il Toro ha voglia di costruire nel 2020, ma a modo suo, senza farsi tante domande. Un paio bastano e avanzano e se il castello (anche emotivo) che stanno costruendo non crolla, allora si vede che non servivano. Come le viti in più quando monti i mobili dell'Ikea. Ecco, diciamo che i Pesci non sopportano tutto questo e fanno la domanda sbagliata al momento sbagliato. E il Toro si mette a piangere battendo i piedi!

I Gemelli saranno decisamente attratti da quell'aura mistica che aleggia attorno ai Pesci facendoli sembrare o molto saggi o molto sexy, come

gli angeli di Victoria Secrets! In tutti i casi i Gemelli saranno molto vicini al pensiero dei Pesci, pronti a coglierne qualsiasi sfumatura o insegnamento. Non si sa mai!

Qui la comprensione è questione di un battito di ciglia. È vero che il Cancro ha anche bisogno di confidare i suoi pensieri, ma i Pesci non sono gente che si scoraggia alla prima paranoia altrui, anzi fare i crocerossini piace parecchio! È amore folle!

Tra i due c'è una buona dose di follia, che ai sentimenti non guasta per nulla... Altro che passione, qui ci sono proprio promesse a lunghissima scadenza. Il Leone ama la capacità dei Pesci di sorridere davanti a qualsiasi nuova opzione...

Quel che è troppo è troppo, e anche per una Vergine che si sbottona tutta questa leggerezza pescina è davvero insopportabile. Anzi, piace magari per una sera, una notte, ma poi la Vergine sbuffa e si chiede come abbiano fatto i Pesci a sopravvivere fino a quel momento. Non otterranno risposte, ma dolci bacini!

Non che ci sia vera comprensione tra i due, ma la Bilancia potrebbe parlare dei suoi pro-

blemi per ore e avere sempre di fronte a sé gli occhi a cuore dei Pesci. Si intenerisce e in fondo riesce a ridare il giusto peso alle cose. Basta un po' di dolcezza...

Che meraviglia questa coppia in cui ciascuno crede di essere la badante emotiva dell'altro! Diciamo che comunque vadano le cose, chiunque sorregga chi, in tutti i casi c'è dell'amore vero e purissimo!

Tra questi due il dialogo non manca, anche se la comprensione non sempre è facile... Ma poco importa, perché mentre il Sagittario spiega, i Pesci lo guardano ammirati pensando ai fatti loro. E vissero tutti felici e contenti!

C'è amore profondo soprattutto perché i Pesci conoscono bene Saturno e ne apprezzano le doti di stabilità. Insomma il Capricorno si occuperà dei conti e i Pesci di spendere i soldi rimasti. Il bello è che tra i due ci saranno solo sguardi con occhi a cuore!

Certo, non sarà sempre facile trovare un accordo tra la freddezza pratica e tagliente dell'Acquario e la dolcezza idealizzante dei Pesci.

Ci si potrebbe innervosire, ma i transiti del 2020 mettono un elastico sufficientemente lungo perché ci si tolleri!

Che il sesso sia sulla Terra o sulla Luna poco importa... Il bello è che tra due Pesci c'è ben poca praticità anche in questo 2020, ma una sintonia che li farebbe sentire l'un l'altro anche ai due capi opposti del globo. E senza Internet! Insomma, qui la passione scocca anche a distanza e di tutti questi pensieri quelli erotici sono di sicuro i più apprezzati!

RINGRAZIAMENTI

Prima di tutto a me ringraziare piace un casino, anche senza motivo.

Poi, se è vero che l'astrologia serve a guardare nell'anima delle persone, è inevitabile che l'astrologa per queste persone provi un amore sconfinato.

Fatte queste debite premesse, la pagina dei ringraziamenti per me non è una formalità bensì una parte fondante di tutto questo libro.

Quindi mettetevi comodi che è lunga (ma anche qui vi darò qualche spunto di riflessione astrologica).

Prima di tutto grazie a Leone e Luce, i miei bambini, un assortimento astrologico bizzarro ma complementare. Ciascuno a modo suo mi hanno richiamata all'ordine durante la stesura di queste pagine. Prima il dovere e poi i cartoni animati, mamma, che questa casa non è mica un coworking!

A parimerito grazie alla mia mamma e al mio papà, in loro c'è un eccessivo concentrato di Verginismo tale per cui questa storia dell'astrologia ancora non li convince del tutto nonostante il prestigio del nome della casa editrice stampato in copertina. Grazie però perché nonostante tutto, hanno scelto di credere in me.

Probabilmente per il fatto che siamo nell'era dell'Acquario, era delle connessioni umane, vi dimostrerò che saranno proprio le connessioni umane a salvare il mondo. O almeno a salvare l'astrologa.

In questa storia, nello specifico, è avvenuto che: l'inarrestabile Ariete Maia si è fatta incuriosire dall'astrologia e dato che è una che si lascia prendere la mano ha regalato il mio video tema natale a buona parte delle italiane a Londra. Tra queste c'era anche Ornella, Bilancia ascendente Pesci, che sa amare molto oltre se stessa. Per motivi diversi da Maia anche Ornella ha deciso di regalare il video tema natale a tanti amici. Tra questi c'è stata Francesca, un concentrato di Capricornaggine da non vedere confini, solo possibilità di successi. Francesca ha mostrato il suo video tema natale in ufficio (bando alla privacy) e da qui tutto ha avuto inizio. Perché Francesca lavora alla Rizzoli Libri. Ma io tutto questo non lo sapevo. Grazie a tutte loro.

Per fortuna a questo punto, editorialmente parlando, è arrivata Lydia che da buona Toro Ascendente Cancro (i due segni legati alla protezione materna) ha finto di lasciarmi fare mentre, lo so, non mi ha persa di vista un minuto. Grazie davvero, non ho mai avuto paura di non farcela grazie a lei.

Grazie a tutta la macchina della Rizzoli che ha fatto dei

mie sproloqui astrologici un manuale addirittura parzialmente illustrato. Un miracolo!

Grazie a Jack, oltre ogni difficoltà, che resterà sempre il sognatore più incallito che conosca e i sogni improbabili sono il suo forte. È ovviamente dei Gemelli.

Grazie alle mie amiche e ai miei amici, ci siete anche quando non vi vedo.

Grazie a tutti i miei colleghi che non sono astrologi però (e nemmeno cartomanti): la *Style Piccoli* crew capitanata da Chiara (avere un capo del Cancro è sempre una fortuna), le Glamourettes con Alessandra Pellegrino (con tutto quel Toro non poteva che essere il direttore di un magazine di moda), quei maschioni di Andrea & Michele di Radio Deejay, il mitico gruppo della DeAbyDay. Come avrete capito ho infilato la punta della mia ballerina con fiocco in quasi tutte le case editrici :)

Grazie a tutti i miei clienti che non cito ma sappiate che vi amo tanto, dal singolo privato alla SpA.

Grazie anche a Ilaria che mi ha supportata logisticamente sopperendo alla mia scarsità tecnologica: è del Leone ma con un sacco di pianeti in Vergine. Per chi annega nei segni d'acqua come me è fondamentale che i collaboratori abbiano tanta ma tanta terra.

Grazie a Marco Pesatori, è grazie a lui se amo davvero questa materia.

Grazie alla mia insostituibile psicologa Caterina che credo essere della Bilancia (intuizione astrologica!). La ringrazio anche perché tanti artisti che ricevono l'oscar ringraziano il loro psicologo e quindi spero che sia di buon auspicio. Sogno di vincere anche io l'oscar, chi sa poi per cosa!?

Grazie ad Ale per aver cercato buona parte delle citazioni di personaggi famosi che trovate nel libro. Mi sono fidata solamente perché è una Vergine Ascendente Sagittario. E mentre lo faceva mi ha comperato anche il pollo con le patatine... perché una donna con la Luna in Toro va, prima di tutto, sfamata.

Infine, il grazie più grande va alla metà perfetta del mio cielo natale, la mia migliore amica Alessandra. Io Scorpione Ascendente Pesci lei Pesci Ascendente Scorpione. Se tutta questa acqua fosse champagne saremmo ricche e ubriache. Grazie a lei che, con la delicatezza tipica dei segni d'acqua, in questi mesi difficili mi ha insegnato una lezione profonda con modi leggeri. Mi ha insegnato che, soprattutto nei momenti più bui, almeno il mascara va messo!

CONFERITO A

....

NOME COGNOME

SEGNO

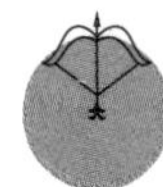   

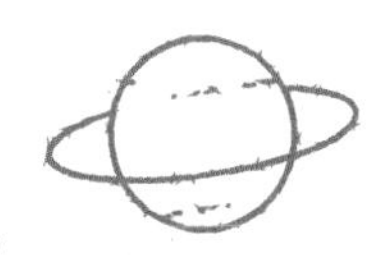

....

DATA

Finito di stampare nel mese di settembre 2019 presso
Grafica Veneta - via Malcanton, 2 - Trebaseleghe (PD)
Printed in Italy